Christine Nöstlinger

Der Spatz in der Hand ist besser als die Taube auf dem Dach

Rowohlt

rororo rotfuchs

Herausgegeben von Ute Blaich und Renate Boldt

Christine Nöstlinger: Kunststudium; Mitarbeit am Rundfunk; Friedrich-Bödecker-Preis, Deutscher Jugendbuchpreis; lebt in Wien.
Veröffentlichungen: «Der liebe Herr Teufel» (rotfuchs 167); «Wir pfeifen auf den Gurkenkönig» (rotfuchs 153); «Liebe Freunde und Kollegen!» (rotfuchs 288); «Sim Sala Bim» (rotfuchs 303); «Die verliebten Riesen» (rotfuchs 471); «Rüb – rüb – hurra!» (rotfuchs 472); u. a.

59.–61. Tausend August 1992

Veröffentlicht im Rowohlt Taschenbuch Verlag GmbH, Reinbek bei Hamburg, November 1976 / Ursprünglicher Titel «Der Spatz in der Hand», Copyright © 1974 by Beltz Verlag, Weinheim und Basel, Programm Beltz & Gelberg / Umschlagillustration und Illustrationen im Text Edith Schindler / rotfuchs-comic Jan P. Schniebel, Copyright © 1976 by Rowohlt Taschenbuch Verlag GmbH, Reinbek bei Hamburg / Alle Rechte an dieser Ausgabe vorbehalten / Gesamtherstellung Clausen & Bosse, Leck / Printed in Germany / 690-ISBN 3 499 20132 1

Damals saß sie oft auf dem Klo.

»Immer sitzt sie auf dem Klo!« behauptete ihre Mutter.

»Nur wenn ich alleine sein will, gehe ich aufs Klo!« erklärte sie, und ihre Mutter schnaubte verächtlich durch die Nase und verdrehte die Augen — einmal im Kreis herum — mit einem doppelten Lidschlag. Das hieß: O guter Gott im Himmel, so hör dir das an, allein will sie sein, wozu will sie denn allein sein, was braucht denn ein Kind allein zu sein?

»Wenn sie auf dem Klo ist«, sagte ihr Vater, »dann muß ich wenigstens die verdammte Negermusik nicht anhören!«

Sie drehte das Radio ab.

»Laß es! Gleich kommen die Nachrichten!« rief der Vater.

Sie drehte das Radio wieder an und ging aufs Klo.

Das Klo war auf dem Gang. Drei Schritte vor ihrer Wohnungstür. Gegenüber der Tür der Frau Simon. Die Klotür war kornblumenblau gestrichen, mit weißen Rändern an den Türfüllungen. Die Klotür hatte ein großes Schlüsselloch, zu dem ein riesiger schwarzeisener Schlüssel paßte. Der riesige schwarzeisene Schlüssel riß angeblich die großen Löcher in ihre Hosentaschen.

Sie holte den riesigen schwarzeisenen Schlüssel aus der Hosentasche und sperrte das Klo auf. Das Klo gehörte ihr. Der Herr Hauser hatte es ihr geschenkt. Der Herr Hauser war Dachdecker. Er hatte vor einem Jahr zwei alte Wohnungen im Haus gekauft und sie zu einem Büro umbauen lassen. Zu einem vornehmen Büro mit Wartezimmer und Chefzimmer und Sekretärinnenzimmer und Klo. Das Gangklo, das zu den zwei alten Wohnungen gehört hatte, wollte die Frau Berger haben; damit sie mit der alten Si-

mon nicht ein Klo teilen mußte. Doch die Berger bekam es nicht. Sie hatte den Herrn Hauser wegen dem großen Fleck an ihrer Zimmerwand verklagt. Der Fleck kam vom Büro-Umbau, und der Herr Hauser mußte der Frau Berger einmal Zimmerausmalen samt Reinigung bezahlen.

»Bevor ich der alten Schrägschrauben das Häusel überlasse, vermiete ich es lieber an das Mädel von den Prihodas!« hatte der Herr Hauser erklärt und ihr das Klo in Untermiete gegeben. Für drei Milchkaramellen die Woche. Zuerst hatte sie den Untermietvertrag nur abgeschlossen, weil ihre Eltern und die Berger so sehr dagegen waren. Inzwischen gehörte das Klo seit einem Jahr ihr. Inzwischen brauchte sie das Klo.

Die Klomuschel war aus weißem Porzellan mit blauem Blümchenmuster. Das Sitzbrett war aus dunkelbraun gebeiztem Holz. Am Fußboden waren gelbe Steinfliesen, die hatten rote Ecken. Wenn man sehr lange auf die Steinfliesen starrte, dann wuchsen die roten Ecken aus dem gelben Boden heraus, wurden zu roten Würfeln, zu roten Säulen, konnten auch durch das Klo, durch die Luft schweben. Einmal gelang es ihr sogar, sie beim Klofenster hinausschweben zu lassen. Das Klofenster war klein und sehr weit oben. Wenn sie auf der Klomuschel saß, sah sie durch das Klofenster auf das Küchenfenster der alten Meier. Auf den rosaroten Vorhang und auf den Silberkäfig, in dem der Kanarienvogel Hansi saß.

Wenn sie auf der Klomuschel stand, konnte sie in den Hof hinunterschauen; auf die Abfallkübel, die Klopfstange und die zerzausten Fliederbüsche. Und wenn sie sich am Fensterbrett hochzog und den Kopf zum Fenster hinausstreckte, konnte sie ins Zimmer vom alten Franz schauen; auf

den Petroleumkocher und das zerwühlte, schmutzige Bett und das große Bild an der Wand hinter dem Bett. Was auf das Bild gemalt war, konnte sie aber nie erkennen.

Sie hatte einen Stoß Bücher auf dem Klo und eine Menge Comics, eine Taschenlampe, weil kein elektrisches Licht dort war, und eine alte Strickjacke, weil es oft ziemlich kalt dort war.

Sie las selten. Meistens saß sie auf der Muschel und dachte darüber nach, wie man das Klo gemütlich einrichten konnte. Mit Klappbett und Stehlampe und Sessel und Klapptisch. Jede Kleinigkeit plante sie. Sogar an ein Türschild dachte sie. An ein rosarotes Türschild mit der violetten Schrift: LOTTE PRIHODA.

Oder sie schrieb Briefe auf dem Klo. Briefe an ihre Mutter und die alte Berger und die Lehrerin und die alte Meier. Wütende, beleidigende Briefe mit allen Schimpfwörtern, die sie kannte. Auch mit denen, die sie nie laut zu sagen wagte. Dann nahm sie ein Zündholz, zündete die Briefe an und warf die brennenden Papierfetzen in die Klomuschel.

Am liebsten aber tat sie gar nichts. Saß hinter der verriegelten Tür, die Ellbogen auf die Knie gestützt, den Kopf in die Handflächen gelegt. Den Kloschlüssel hatte sie abgezogen. Niemand wußte, daß sie hinter der Klotür hockte. Sie hörte Schritte, Schritte weit weg, Schritte an der Klotür vorbei, Schritte im Hof unten, hörte Stimmen, Keifen, Gelächter, Türgeklingel und Türschlagen, Mistkübeldeckel auf- und zuklappen, Teppichklopfen, Kanarienvogelgepiepse und Klospülungen über und unter ihr. Von ihr aber hörte niemand etwas, und das war angenehm für sie. Manchmal rauchte sie auf dem Klo.

Sie zog den riesigen, schwarzeisenen Schlüssel aus dem Schloß, steckte ihn in die Hosentasche mit dem großen Loch, machte die Klotür zu und hakte den Riegel ein. Es war dämmrig. Sie setzte sich, knipste die Taschenlampe an und leuchtete zur Decke. Von der Decke blätterte Verputz ab. Hinter grauem Rosa wurde helles Grün sichtbar. Das helle Grün sah aus wie ein Kopf. Wie der Kopf von einem alten Mann oder einem Hund oder einem Schaf. Je nachdem, wie man die Taschenlampe hielt. Sie wollte den alten Mann haben. Sie hielt die Taschenlampe hoch und legte einen Zeigefinger über das Glas der Lampe. Der Zeigefinger wurde so rot und leuchtend wie die Kaminscheite in der Auslage vom Ofengeschäft. Das gefiel dem alten Mann an der Decke. Er verzog das Gesicht zu einem Grinsen.

Am Gang draußen, vorne beim Stiegenhaus, war ein Geräusch. Ein Schnaufen. Es schnaufte jemand die Treppe herauf. Sie kannte das Schnaufen. Es kam von einer rotzverstopften Nase. Der Mundi hatte immer eine rotzverstopfte Nase.

Schritte hörte sie erst, als der Mundi knapp vor der Klotür war; denn der Mundi ging im Sommer barfuß. Vor der Klotür zog der Mundi Rotz hoch und in den Mund hinunter, und dann spuckte er aus. Wahrscheinlich auf den Fußabstreifer vor der Tür der alten Simon. Dann klingelte der Mundi an ihrer Wohnungstür. Er klingelte, bis ihre Mutter die Tür aufmachte. »Läut doch nicht immer wie ein Verrückter«, sagte die Mutter, »die Lotte sitzt, glaub ich, noch immer auf dem Klo!«

Die Mutter machte die Wohnungstür zu. Der Mundi kam zur Klotür. Er klopfte.

»Geh hinunter in den Hof, ich komme gleich nach«, sagte sie.

»Okay«, murmelte der Mundi.

Er hatte es sich längst abgewöhnt, ins Klo hinein zu wollen. Es war ihr Klo. Außer ihr durfte da niemand sein.

Sie wartete, bis sie die Hoftür quietschen hörte, legte die Taschenlampe auf den Bücherstoß, holte die Zigarettenschachtel und die Zündhölzer aus dem bestickten Klopapierbehälter und steckte sie in die Hosentasche.

»Lotte, so komm doch schon!« rief der Mundi im Hof unten.

Sie verließ das Klo und lief die Treppe hinunter.

Der Mundi rief wieder: »Lotte, wo bleibst denn? Lotte, so komm schon!«

Warum mußte der verdammte Trottel bloß immer so brüllen? Gleich würde die alte Meier beim Fenster hinauskeppeln!

Als sie zur Hoftür kam, keppelte die Meier schon. »Verschwind, verschwind sofort, du Lauser! Fremde Kinder haben bei uns im Hof nichts verloren!«

Der Mundi stand vor den Mistkübeln, unter der Klopfstange. Er schaute zur Meier hinauf und rief: »Bitte, ich bin kein fremdes Kind, ich bin der Freund von der Prihoda Lotte, der Mundi bin ich!«

Sie blieb bei der Hoftür stehen und winkte dem Mundi. Er sollte zu ihr kommen. Sie wollte nicht von der alten Meier gesehen werden. Sie hatte vorgestern einen Zettel in den Briefschlitz der alten Meier gesteckt. Auf dem Zettel war gestanden: *Ihre Tage sind gezählt! Tun Sie Buße, bevor es zu spät ist!*

Die Meier hatte sich sehr darüber erregt und war mit dem

10

Zettel zu ihrer Mutter gegangen. »Das hat Ihre Tochter geschrieben! Und wenn mich der Herzschlag getroffen hätte, dann wäre sie schuld daran!«

Ihre Mutter hatte den Zettel angeschaut und gesagt: »Also nein, wirklich, Frau Meier, diesmal tun Sie ihr unrecht, das ist garantiert nicht die Schrift von meiner Lotte!«

Es war auch nicht ihre Schrift gewesen. Sie hatte den Zettel von ihrer Sitznachbarin in der Schule schreiben lassen. Trotzdem war es besser, mit der alten Meier in der nächsten Zeit nicht zusammenzutreffen.

Sie winkte dem Mundi wieder.

Der Mundi sah sie nicht. Er schaute nach oben, zum Klofenster, hielt die Hände wie einen Trichter vor den Mund und brüllte: »Lotte – Lotte – Lotte!«

»Na, aber jetzt hab ich genug, jetzt reicht es mir aber wirklich!« keifte die Meier.

Der Mundi brüllte weiter.

Sie konnte von der Hoftür aus nicht auf das Fenster der alten Meier sehen, aber sie ahnte, was nun kommen würde. Die Meier hatte das schon öfter gemacht.

Sie hatte recht!

»Jetzt wirst aber gleich die Goschen halten, aber gleich«, kreischte die Meier von oben, und dann kam das Wasser herunter. Mindestens ein Liter Wasser, und genau auf den Kopf vom Mundi. Auch in den Mund vom Mundi. Der Mundi spuckte, hustete, schüttelte sich, japste nach Luft, holte tief Luft und schrie: »Verdammte alte Sau, der Schlag soll dich treffen, altes Luder du!« und rannte aus dem Hof.

Sie lehnte an der Hoftür und kicherte. Der Mundi rannte an ihr vorbei, ohne sie zu sehen. Wasser tropfte aus seiner

Hose, und das Hemd klebte klatschnaß am Rücken. Der Mundi lief zum Haustor.

»So wart doch«, sagte sie.

Der Mundi drehte sich im Laufen um. Er drehte sich zu schnell um. Die gelben Fliesen, über die er gerannt war, waren naß. Der Mundi rutschte aus und fiel hin. Sie half ihm auf.

»Verdammte alte Sau«, sagte der Mundi.

Sie unterdrückte das Lachen.

»Ich hab dir doch gesagt, daß sie Wasser schüttet. Sie hat sogar extra dafür einen Wasserhefen auf dem Fensterbrett stehen!«

Der Mundi streckte die Zunge heraus und schaute schräg nach oben; dorthin, wo hinter anderen Zimmern und Küchen und Wänden und Fußböden die Küche der alten Meier sein mußte.

Sie gingen aus dem Haus. Der Mundi tropfte noch immer.

»Schick deine Mama zu ihr! Sie soll ihr einen ordentlichen Krach machen!«

»Ich glaub«, sagte der Mundi, »meine Mama tut so was nicht, weil sie gar keine Zeit dazu hat.«

Die Mutter vom Mundi war eine Riesenfrau mit einem ungeheuer großen Busen und einem sehr dicken Bauch. Die Mutter vom Mundi, wenn die eine Wut gekriegt hätte, die hätte der alten Meier vielleicht eine heruntergehauen.

»Komm«, sagte sie, »wir gehen zu deiner Mama! Wir sagen es ihr! Komm schon!«

Sie zog den Mundi hinter sich her. Sie zog ihn bis zum Gemüsegeschäft. Sie zog ihn in den Laden hinein.

»Frau Wolf, Frau Wolf«, rief sie, »bitte, schaun sie sich

das an!« Sie rief entsetzt, verschreckt, verängstigt. So etwas konnte sie gut. »Frau Wolf, er hat gar nichts getan, wirklich nichts, und die alte Meier hat ihm zehn Liter Wasser über den Kopf geschüttet! Eiskaltes Wasser!«

Die Frau Wolf war über die Erdäpfelkiste gebeugt und suchte drei Kilo besonders kleine ägyptische Heurige heraus. Die Frau Schodl brauchte immer besonders kleine Erdäpfel. Die Frau Wolf richtete sich auf, glotzte auf den Mundi und fing zu lachen an.

»Sie müssen zu ihr gehen, Sie dürfen sich das nicht gefallen lassen, auf gar keinen Fall!« rief sie.

Die Frau Wolf sagte: »Dazu hab ich wirklich keine Zeit nicht, und außerdem ist die Meier eine gute Kundschaft, und außerdem wird er schon was 'tan haben, weil ganz umsonst schütt' auch die Meier kein Wasser nicht!«

Die Frau Wolf griff in die große Tasche der grünen Schürze, die ihren dicken Bauch umspannte, und holte die Wohnungsschlüssel heraus. »Geh dich umziehn und häng das nasse Zeug ins Bad«, sagte die Frau Wolf.

Sie sagte: »Aber einer muß endlich der alten Schrauben die Meinung sagen!«

Die Frau Wolf schüttelte den Kopf.

Sie seufzte, nahm der Frau Wolf die Wohnungsschlüssel aus der Hand und zog den Mundi aus dem Geschäft.

Der Mundi tropfte nicht mehr, aber er zitterte.

Die Wohnung vom Mundi war im selben Haus wie das Geschäft. Sie mochte die Wohnung vom Mundi. Die schweinsrosa Kacheln im Badezimmer, und auf jeder zweiten Kachel klebte eine winzige gläserne Vase mit einer kleinen Plastiknelke. Und an jedem Schlüssel – und es gab in der Wolf-Wohnung Schlüssel an Türen und Laden und

Schränken – baumelte eine lange, seidigplüschene Quaste. Über das Ehebett der Wolfs war eine goldene Decke gebreitet, auf der saß eine Puppe in einem himmelblauen Rüschengewand. Die Puppe war über einen Meter groß und glotzte mit grünen Augen.

Am schönsten aber war das Ölgemälde. Es hing an der Wand hinter dem Eßtisch. Die Frau Wolf war darauf gemalt. Nicht mit der grünen Schürze vor dem Bauch und dem braunen Haarknödel auf dem Kopf, sondern mit gelben Locken und einem rosa Spitzenkleid.

»Schön, gelt?« sagte der Mundi.

Sie fand das Ölgemälde sehr schön. Weil die Nase auf dem Bild der Nase der Frau Wolf wirklich ähnlich sah, doch sie wollte den Mundi ärgern.

»Wie Himbeerpudding mit Vanillesoße«, sagte sie.

»Du bist gemein«, schimpfte der Mundi.

Sie schlug vor, Zigaretten zu rauchen.

Der Mundi öffnete ein Fenster, damit die Frau Wolf am Abend den Zigarettenrauch nicht riechen konnte.

Sie wollte das Spitzenkleid haben. Das, welches die Frau Wolf auf dem Ölbild anhatte.

Der Mundi holte das Spitzenkleid aus dem Schrank im Vorzimmer. »Da paßt du dreimal hinein«, kicherte er.

Sie zog sich aus.

»Du hast schon einen Busen«, sagte der Mundi.

Sie kicherte. Sie kicherte über die Augen vom Mundi. Die Augen vom Mundi wurden immer so sonderbar, wenn er ihren Busen sah. Blöd schaut er aus, dachte sie. Noch blöder als sonst.

In der Illustrierten hatte sie unlängst gelesen: *Harro starrte sie mit gierigen Blicken an.*

Der Mundi starrt gar nicht gierig, dachte sie. Der Mundi glotzt wie ein alter Hammel!

Das rosa Spitzenkleid war ungeheuer häßlich. Sie hatte keine Lust, das scheußliche Ding anzuziehen. Sie hielt dem Mundi das Spitzenkleid hin. »Zieh es an!«

Der Mundi wollte nicht.

»Bitte, Mundi, bitte!«

Sie wußte, daß ihr der Mundi nicht »nein« sagen konnte. Der Mundi seufzte, dann zog er das nasse Hemd aus.

»Die Hose auch«, verlangte sie.

Der Mundi wollte zuerst das Kleid anziehen und dann unter dem Kleid aus der Hose steigen.

»Klosterfrau, Klosterfrau!« höhnte sie ihn.

Der Mundi bekam rote Ohren. Der Mundi bekam immer rote Ohren, wenn man ihn aufzog.

»Ich hab ja auch nur die Unterhose an«, sagte sie.

Der Mundi zog die Hose aus.

»Hast du die Unterhose von deinem Vater an?« fragte sie. »Die Unterhose hängt dir ja bis zu den Knien.«

Der Mundi riß ihr das Spitzenkleid aus der Hand und zog es über den Kopf. Das Kleid reichte bis zum Boden.

Sie holte Sicherheitsnadeln, um den Halsausschnitt enger zu machen. Das Kleid wäre dem Mundi sonst über die Schultern gerutscht. Sie nahm einen Seidenschal und wickelte ihn dem Mundi um den Bauch. »Wo ist die Perücke?« fragte sie.

»Die dürfen wir wirklich nicht!« rief der Mundi.

»Feigling!«

Der Mundi wollte kein Feigling sein, doch die Perücke war das einzige Heiligtum der Frau Wolf. Die Perücke stand über einen hölzernen Perückenkopf gestülpt, oben auf dem

Schrank.

»Die darf ich wirklich nicht nehmen!«

Sie griff nach ihrer Hose und nach dem Pulli. »Dann geh ich eben nach Hause.«

Der Mundi stieg auf einen Sessel und holte den Perückenkopf vom Schrank herunter.

Sie lächelte und legte die Hose und den Pulli weg. Sie setzte dem Mundi die Perücke auf und klipste ihm silberne Klinkerohrringe an die Ohrläppchen. Dann mußte der Mundi Stöckelschuhe anziehen, und dann goß sie ihm Lilienparfüm über die Schultern.

»So«, sagte sie zufrieden, »jetzt setzt du dich daher, und schlägst die Beine übereinander und zündest dir eine Zigarette an, und ich bin ein feiner Herr und komme und spreche dich an!«

»Ich mag so was nicht spielen«, raunzte der Mundi.

»Warum nicht?«

Der Mundi wußte keine Antwort. Er zuckte mit den Schultern, dabei rutschte ihm das Spitzenkleid über eine Schulter herunter.

»Ja, bleib so«, rief sie, »das sieht gut aus!«

»Die Perücke kratzt, und heiß ist sie auch«, jammerte der Mundi.

Sie schlüpfte in ihre Hose und zog den Pulli an. Sie holte ein Sakko vom Herrn Wolf aus dem Schrank, und einen Hut. Sie schlüpfte in das Sakko, setzte den Hut auf, ging zum Mundi und flüsterte: »Na, schöne Frau, wie ist's mit uns beiden?«

»Was soll ich denn drauf sagen?« fragte der Mundi.

»Du sagst darauf: Mein Herr, ich bin nicht so eine! Lassen Sie mich in Frieden!«

Der Mundi nickte. Sie ging zur Zimmertür, kam wieder, fragte: »Na, schöne Frau, wie ist's mit uns beiden?«

Der Mundi murmelte: »Gehn Sie weg! So bin ich nicht!«

»Du mußt empörter sein«, forderte sie.

Sie fingen noch einmal an. Der Mundi sprach empört genug. Sie setzte sich dicht zum Mundi, legte eine Hand auf sein Knie. »Du mußt die Hand wegschieben«, flüsterte sie. Der Mundi schob gehorsam die Hand weg.

»Aber, aber, meine Dame«, sagte sie, »wer wird denn so schamhaft sein?«

Sie legte die Hand wieder aufs Knie vom Mundi. Die andere Hand legte sie auf die Schulter vom Mundi.

»Jetzt mußt du quietschen!« forderte sie.

Der Mundi quietschte nicht. Er sprang auf, kippte aus dem einen Stöckelschuh, schleuderte den zweiten Schuh vom Fuß und schrie: »Das ist ein Scheißspiel, so ein Scheißspiel spiel ich nicht!«

»Dann eben nicht«, sagte sie. Sie stand auf, schlüpfte aus dem Sakko, warf es auf den Boden und schmiß den Hut hinterher. »Ich geh«, sagte sie.

Sie ging quer durch das Zimmer und durch das Vorzimmer und wußte genau, daß er ihr nachkommen würde. Als sie die Wohnungstür öffnete, rief er: »Bleib da, ich spiel eh schon wieder mit dir!«

»Zu spät!« sagte sie.

Der Mundi lief hinter ihr her. Er erreichte sie bei der Treppe. Die blonde Perücke war ihm tief in die Stirn gerutscht, die gelben Stirnfransen hingen in seine Augen. Das Oberteil vom Kleid war auch verrutscht und baumelte nun um die Hüften vom Mundi. Der Lippenstift war über die Wangen verschmiert. Auch die Nase vom Mundi war voll

Lippenstift. Sie dachte: Er sieht zum Bauchwehkriegen aus!

Sie ließ sich vom Mundi in die Wohnung zurückführen. Sehr widerstrebend. Der Mundi versprach ihr die halbe Ananas, die oben auf dem Eisschrank lag. Und daß er garantiert alles tun würde, was sie wollte.

Sie sagte: »Zum Liebe spielen bist du zu blöd. Machen wir was anderes. Was ganz Besonderes!«

Der Mundi nickte.

»Weißt du was?« fragte sie.

Der Mundi wußte nichts. Der Mundi wußte nie etwas.

Sie erklärte: »Ich möchte die alte Meier ärgern!«

Der Mundi war begeistert. »Klingeln wir bei ihrer Tür und rennen wir dann weg!«

»Das ist doch nichts Besonderes, du Depp!« sagte sie.

Der Mundi zog das Spitzenkleid aus und stellte den Perückenkopf auf den Schrank. Er räumte die Schminksachen weg und trug das Sakko ins Vorzimmer hinaus.

Sie dachte nach.

»Man könnte natürlich«, sagte sie, »ein Zündholz zuspitzen und in den Klingelknopf hineinklemmen. So daß der Knopf hineingedrückt wird und nicht mehr herausgeht.«

»Bricht doch immer ab, der Dreck«, sagte der Mundi.

»Bei mir bricht es nie ab«, log sie. Sie hatte es noch nie ausprobiert. Ihr Vater hatte ihr erzählt, daß er als Kind immer Zündhölzer in die Klingeln gestreckt hatte, und bei ihm waren sie angeblich nie abgebrochen. Vielleicht waren die Zündhölzer damals aus besserem Holz gewesen!

Sie murmelte: »Ist aber sowieso auch nichts Besonderes!«

Dann hatte sie es! »Wir verstopfen ihr das Schlüsselloch!«

»Mit Papierwuzerln!« rief der Mundi.

Sie schüttelte den Kopf. »Es muß was sein, was nie mehr herausgeht, nie mehr!«

»Nasenrammeln?« fragte der Mundi.

Sie schaute ihn fasziniert an. So blöd konnte nur der Mundi fragen. Wo wollte er denn in der nächsten halben Stunde so viele Nasenrammeln hernehmen?

»Nasenrammeln picken aber so gut!« erklärte der Mundi.

Sie lächelte. Sie sagte: »Uhu! Im Falle eines Falles...«

»...verstopft Uhu wirklich alles!« schrie der Mundi begeistert.

Der Mundi bezahlte die Tube Klebstoff. Sie hatte nie Geld. Sie bekam kein Taschengeld.

Sie kauften die kleinste Tube, weil die kleinste Tube die kleinste Öffnung vorne hat.

Sie setzten sich auf den Randstein zwischen zwei parkende Autos, gegenüber der Haustür. Es war halb sieben. Um halb sieben ging die Meier immer mit ihrem Dackel auf die Gasse. Diesmal kam sie fünf Minuten nach halb. Der Dackel hatte es eilig. Er zog die alte Meier an der Leine hinter sich her.

Sie wartete, bis die alte Meier mit dem Hund um die Ecke verschwunden war, dann sagte sie: »Jetzt!«

Sie schlichen ins Haus, in den zweiten Stock hinauf. Der Mundi schraubte auf der Treppe die Tube auf.

Die alte Meier hatte drei Türschlösser — wegen der Einbrecher. Zwei waren Sicherheitsschlösser und eines war ein ganz gewöhnliches Schloß.

Es roch nach Gurkensalat und Augsburgern. Hinter der Tür piepste der Kanarienvogel Hansi. Hinter einer anderen Tür schepperte jemand mit Blechdeckeln oder Blechhefen. Das Ganglicht war eine matte, fünfzehner Birne ohne Schirm. Draußen war es heller als auf dem Gang. Sie hatte Angst, daß jemand kommen könnte. »Beeil dich«, flüsterte sie.

Sicherheitsschlösser haben sehr kleine Schlüssellöcher. Es ist schwierig, sie mit Uhu anzufüllen. Der Mundi schnaufte durch die rotzverstopfte Nase.

»Mach jetzt Schluß«, flüsterte sie, weil sie von unten, vom Hausflur her, Schritte hörte. Der Mundi arbeitete weiter. Sie zog ihn an der Hose. Sie zog ihn am Hemd. Der Mundi drückte das letzte Fuzerl Uhu ins große Schlüsselloch. »Die ganze Tür pickt«, kicherte er.

Die Schritte waren schon auf der Treppe.

Sie zog den Mundi wieder am Hemd. Nun hörte der Mundi die Schritte auch. Er schaute ratlos, erschrocken. Sie packte ihn an der klebrigen Hand und lief mit ihm die Treppe zum Dachboden hinauf. Sie lehnten sich an die eiserne, kühle Dachbodentür. Die Hand vom Mundi klebte an ihrer Hand. Die Schritte kamen nicht näher. Im ersten Stock läutete eine Türglocke, dann sagte die Frau Simon: »Servus Fredi«, und dann schlug eine Tür zu.

»Das war der Sohn von der alten Simon«, flüsterte sie erleichtert.

Sie liefen die Treppen hinunter. Niemand kam ihnen entgegen. Sie liefen aus dem Haus.

»Wie lange dauert es denn, bis der Pick hart ist?« fragte der Mundi. Sie wußte es nicht.

»Schad!« sagte der Mundi, »daß wir nicht dabei sein können, wenn sie die Tür aufsperren will!«

Sie liefen zum Gemüseladen. Der Rollbalken war schon unten. Die Frau Wolf und der Herr Wolf saßen im Hin-

terzimmer beim großen Tisch. Sie aßen Speck und Brot und zählten Geld und tranken Tee mit Rum und schrieben auf, was der Herr Wolf morgen früh vom Großmarkt holen sollte.

»Herrenpilze«, sagte die Wolf.

»Kosten aber über hundert«, murmelte der Herr Wolf und machte aus den Schillingstücken Häufchen zu zehn Stück.

»Kaufen's trotzdem wie die Deppen«, sagte die Wolf und zuckte mit den dicken Schultern.

Der Mundi holte Speck und Brot vom großen Tisch, nahm zwei Teller aus der Kredenz und den Senftiegel aus der Lade und trug alles zum breiten Fensterbrett.

Sie setzte sich auf das Fensterbrett, baumelte mit den Beinen und ließ sich vom Mundi mit Speckstücken und Brotbrocken füttern. Dabei biß sie ihn in den Zeigefinger. Der Mundi merkte nicht, daß sie es mit Absicht tat.

An der Wand, in der Fensternische, hingen drei ovale hölzerne Scheiben mit dunklen Rindenrändern. Eine Scheibe unter der anderen.

Auf der obersten Scheibe stand: *Einer spinnt immer.* Daneben war ein Spinnennetz, und in der Mitte vom Netz hockte eine fette Kreuzspinne.

Sie bekam eine Gänsehaut. Immer, wenn sie eine Spinne sah, bekam sie eine Gänsehaut. Sogar, wenn sie von einer Spinne reden hörte, bekam sie eine Gänsehaut.

Auf der mittleren Scheibe stand: *Gruß aus Mariazell.* Um den ›Gruß aus Mariazell‹ herum waren blaue Enziane und rosa Alpenrosen und weiße Edelweiß.

Auf der unteren Scheibe stand: *Besser der Spatz in der Hand, als die Taube auf dem Dach!* Die Schrift war mit einer glühenden Nadel in das Holz geritzt. Über der

Schrift flatterten weiße und hellblaue und graue Tauben.
Sie schaute lange auf den unteren Spruch: »Was soll denn
das heißen?« fragte sie.
Der Mundi wußte es nicht.
Der Herr Wolf schaute von seinen Geldhäufchen hoch.
»Ein Sprichwort ist das«, sagte er.
Sie nickte. Trottel, dachte sie. Daß es ein Sprichwort ist,
das hab ich gemerkt!
»Daß man nicht nach was greifen soll, was man nicht
kriegt!« sagte die Wolf.
»Weil man sonst noch das verliert, was man hat!« sagte
der Herr Wolf.
Sie verstand es nicht, aber sie nickte wieder.
»Wer hat einen Spatzen in der Hand?« fragte der Mundi.
»Und wieso will der eine Taube? Und wieso ist ein Spatz
besser? Tauben gehen doch leichter zu fangen als Spat-
zen . . . Weil, so alte, hinige Spatzen gibt es gar nicht . . .«
»Mundi, red nicht so blöd!« unterbrach ihn die Wolf.
Sie räusperte sich. Dann sagte sie: »Bitte, Frau Wolf, wenn
vielleicht meine Mama anruft, dann sagen sie ihr, ich war
die ganze Zeit hier!«
»Welche ganze Zeit?« fragte die Wolf.
»Die ganze Zeit halt!«
Die Wolf steckte einen Brocken Speck in den Mund, stopf-
te Brot nach, grinste und nickte.
Sie hatte es nicht anders erwartet. Die Wolf log gern. Be-
sonders gern für Kinder und gegen Erwachsene. Auf die
Wolf konnte sie sich verlassen.
Sie wartete, bis die Wolf den Tisch abräumte, der Herr
Wolf gähnte und das Geld in die schwarze Tasche stopfte,
dann sagte sie »gute Nacht« und ging nach Hause.

Sie ging langsam. Wenn ich, dachte sie, bis zur nächsten Ecke nicht mehr als siebzehn Schritte brauche, dann geht alles in Ordnung. Sie brauchte zwanzig Schritte. Wenn ich bis zum Milchgeschäft zwanzig Schritte brauche, dann geht alles in Ordnung, dachte sie. Sie brauchte nur dreizehn Schritte. Sie murmelte: »Verflucht und zugenäht« und gab im Vorübergehen dem Kellerfenster vom Nachbarhaus einen Tritt.

Hinter dem Küchenfenster der alten Meier brannte Licht. Sie sah es – durch das Gangfenster –, als sie in den ersten Stock hinaufstieg.

Sie brauchte nicht zu klingeln. Die Wohnungstür war nur angelehnt. Hinter der Tür lauerte die Mutter. Die Mutter gab ihr zwei Ohrfeigen. Beide auf die linke Wange. Die Mutter schlug immer auf die linke Wange.

»Warum haust mich denn, was hab ich denn getan?« schrie sie. »Was sagst mir denn nicht, was ich getan hab?« »Scheinheilige Laus«, schimpfte die Mutter und holte zur dritten Ohrfeige aus.

Sie duckte sich, entging der heruntersausenden Hand, flüchtete zu ihrem Vater und wimmerte herzergreifend. Der Vater zog sie auf den Schoß, klopfte ihr beruhigend auf den Rücken, murmelte »aber-aber-aber« und drückte ihren Kopf gegen seine Schulter, damit ihm ihr Kopf die Sicht auf das Fernsehbild nicht verstellte.

Die Mutter verdrehte die Augen – einmal im Kreis herum – mit einem doppelten Lidschlag, und das hieß diesmal: O guter Gott im Himmel, hör dir das an, nun tröstet er sie noch, was muß er sie denn noch trösten?

Dann rief die Mutter: »Was du getan hast? Das weißt du ganz genau! Der Meier hast du die Schlüssellöcher verpickt!«

Sie war empört über die Mutter. Die Mutter konnte keinen Beweis haben, weil es keinen Beweis gab. Die Mutter hatte nur einen Verdacht. Die Mutter hätte den Verdacht auch gehabt, wenn jemand ganz anderer die Löcher verklebt hätte. Die Mutter hätte ihr auch die Ohrfeigen gegeben, wenn jemand ganz anderer die Löcher verklebt hätte. Die Mutter war gemein!

»Ich war die ganze Zeit beim Mundi!« rief sie. »Ruf doch die Frau Wolf an, wenn du es nicht glaubst! Die wird dir sagen, daß es stimmt!«

Die Mutter wollte die Wolf nicht anrufen. Der Vater rief die Wolf an. Die Wolf erklärte, daß die Lotte »die ganze Zeit« mit dem Mundi im Hinterzimmer brav gespielt hatte. Die Mutter war wütend. »Dann sind die Ohrfeigen eben dafür, daß du so spät nach Hause gekommen bist. Es war schon halb acht!«

Sie schluchzte noch ein bißchen. Der Vater schenkte ihr fünf Schilling.

»Was war denn mit der Meier ihrem Schlüsselloch?« fragte sie.

»Total verpickt war's! Und der Hausmeister und ich haben eine Stund lang herumkratzt und mit Azeton und Benzin herumg'wischt, bis die Alte hat aufsperren können«, sagte der Vater.

»Und das untere Schloß ist noch immer verpickt, aber Gott sei Dank hat sie das untere nicht zugesperrt gehabt«, sagte die Mutter.

Sie tat, als ob sie nachdachte. Sie steckte einen Zeigefinger in den Mund. Am Zeigefinger klebten noch immer Uhuwuzerln. Sie steckte den Zeigefinger tiefer in den Mund, biß die Uhuwurzerl vom Finger. Dann sagte sie: »Wer war denn das damals, der der alten Berger die vier Wanzen ins Schlüsselloch gesteckt hat?«

»Die Simon«, sagte der Vater.

Die Mutter starrte sie an. Plötzlich leuchteten die Augen der Mutter. Ganz aufgeregt leuchteten die Augen der Mutter. »Natürlich! Die Simon! Das alte Luder! Die Simon! Daß mir das nicht gleich eingefallen ist!« rief die Mutter. »Ich geh aufs Klo«, sagte sie.

Bevor sie die Wohnungstür hinter sich zuzog, hörte sie noch, wie die Mutter schimpfte, daß die Simon wirklich das fürchterlichste alte Luder auf Gottes Erdboden sei.

Sie hockte auf der Klomuschel. Es war stockfinster. Draußen waren keine Schritte, keine Stimmen. Das Küchenfenster der alten Meier war ein heller, rosaroter Fleck an der schwarzen Hauswand.

Sie wollte die alte Meier sehen. Sie stieg auf die Klomuschel und schaute aus dem Fenster. Sie brach ein winziges Stück Verputz aus der Wand neben dem Klofenster und warf es auf das Meierfenster. Gleich wird sie kommen, dachte sie. Sie brach noch ein Stück Verputz aus der Mauer und warf wieder und ging in Deckung.

Sie hörte, wie das Meierfenster geöffnet wurde. Sie beschloß, tollkühn zu sein und der Meier ein Stück Verputz an den Kopf zu werfen. Die Meier war kurzsichtig. Und es war finster. Die Meier würde sie sicher nicht sehen.

Sie richtete sich auf und wollte werfen und warf doch nicht und ließ den Verputzbrocken fallen, denn beim offenen Meierfenster stand nicht die Meier, sondern ein Bub. Der Bub hatte dunkle Augen und dunkle Haare. Er war

groß und dünn und der schönste Bub, den sie je gesehen hatte. Sie starrte ihn an und verstand nicht, wieso der schönste Bub, den sie je gesehen hatte, bei der Meier ihrem Küchenfenster herausschaute.

»Siehst was?« Die Stimme der Meier war leise. Wahrscheinlich saß die Meier im Zimmer drinnen.

»Nichts seh ich«, sagte der Bub und ging vom Fenster weg.

Sie stand auf der Klomuschel und starrte noch lange zum Küchenfenster der Meier und wartete, daß der Bub noch einmal zum Fenster kommen würde. Sie starrte, bis ihre Mutter kam und an die Klotür klopfte und sagte, daß es höchste Zeit zum Schlafengehen sei.

»Bei der alten Meier ist ein Bub«, sagte sie.

»Der Schurli«, sagte die Mutter.

Sie lag im Bett. Ihr Bett stand im Zimmer und war am Tag die Sitzbank. Sie hörte die Mutter in der Küche reden. Die Mutter redete noch immer über die alte Simon und darüber, daß eine, die Wanzen in Schlüssellöcher gesteckt hat, auch Uhu in Schlüssellöcher schmieren kann.

Auf der Straße fuhren Autos. Schmale Lichtstreifen vom Scheinwerferlicht wanderten über die Zimmerdecke. Sie erinnerte sich, daß sie früher vor diesen Lichtstreifen Angst gehabt hatte. Sie versuchte sich zu erinnern, seit wann sie keine Angst mehr hatte.

In der Küche gähnte der Vater. »Gehn wir schlafen«, sagte die Mutter. Der Vater und die Mutter wanderten auf Zehenspitzen durch das Zimmer. Sie schliefen im Kabinett hinter dem Zimmer. Die Mutter knipste im Kabinett das Licht an.

Sie setzte sich im Bett auf, beugte sich vor und schaute

durch die offene Kabinettür den Eltern beim Ausziehen zu.

Sie sind häßliche Menschen, dachte sie. Sie sind zu dick und zu klein. Ihre Gesichter sind zu rund und ihre Nasen zu groß. Sie haben Fettbäuche, und am Hintern haben sie Grübchen im Speck. Ich will nie so werden, wie sie sind, dachte sie. Sie ließ sich im Bett zurücksinken, schloß die Augen und lächelte, weil ihr einfiel, daß sie früher die Eltern schön gefunden hatte, daß sie früher dem Mundi einmal einen Tritt gegeben hatte, weil er gesagt hatte, ihre Mutter und seine Mutter schauten sich ähnlich.

Sie schauen sich wirklich ähnlich, dachte sie. Alle schauen sich ähnlich, dachte sie. Da, wo ich wohne, da gibt es überhaupt nur zwei Sorten, die Dicken und die Dünnen. Alle Dicken sind gleich. Und alle Dünnen sind gleich. Alle sind häßlich!

Sie fragte sich, wo die schönen Menschen wohnten. Und ob die schönen Menschen in den schönen Häusern wohnten. In den Häusern mit den Gärten herum und den Gitterzäunen davor.

Sie fragte sich, von wo der Bub hergekommen war. Der Bub im Fenster der alten Meier. Der Bub, der angeblich Schurli hieß. Sie war ziemlich müde, und es war fast ein Traum, als sie weiterdachte. Da war der Hof und die dunkle Hausmauer mit den schwarzen Fensterlöchern. Nur ein Fenster war rosarot-hell. Und der Fensterrahmen war ein Bildrahmen. Und sie nahm die Abfallkübel aus dem Hof und die Klopfstange und die Fliederbüsche. Sie nahm den Wäschestrick mit den Unterhosen der Hausmeisterin aus dem Hof. Sie ließ Tulpenbeete im Hof wachsen. Sie stellte einen Tannenbaum zwischen die Tulpenbeete.

Sie bestreute die Wege mit weißem Kies. Sie ließ die Sonne scheinen und rollte einen schwarzlackierten Zaun um ihren Garten herum. Dann holte sie den Schurli aus dem rosaroten, hellen Fenster herunter und stellte ihn neben den Tannenbaum. Er stand da und lächelte und paßte genau dorthin.

Sie drehte sich zur Wand, zog die Decke über den Kopf und schlief ein.

Als sie munter wurde, schien die Sonne beim Fenster herein. In der Küche zischte die Espressomaschine auf dem Herd. Die Mutter trug Kaffeetassen zum Zimmertisch, der Vater saß – in der Unterhose – beim Tisch und studierte das Fernsehprogramm für die nächste Woche. Am Sonntag frühstückten ihre Eltern im Zimmer. In der Woche frühstückten sie in der Küche. Am Sonntag tranken sie den Kaffee aus Tassen mit Untertassen. In der Woche tranken sie den Kaffee aus großen, alten Heferln.

Sie stand auf, ging in die Küche.

»Vielleicht könntest du guten Morgen sagen!« rief die Mutter hinter ihr her.

Sie sagte: »Guten Morgen!«

Sie drehte den Wasserhahn bei der Waschmuschel auf, schwemmte die abrasierten Bartstoppeln ihres Vaters in den Abfluß, drückte Zahnpaste auf die Bürste und schnitt dem Spiegel Gesichter. Sie putzte die Zähne und fuhr mit dem Waschlappen über das Gesicht. Der Waschlappen roch unangenehm. Sie trocknete das Gesicht ab und bürstete die Haare. Sie hatte lange, dicke, braune Haare. In der Woche, wenn sie in die Schule ging, mußte sie die Haare zu Zöpfen flechten oder zu einem Roßschwanz binden. Die Lehrerin verlangte das. Am Sonntag ließ sie die Haare offen. Die Haare reichten weit über die Schultern.

Sie setzte sich zum Frühstückstisch, bekam eine Tasse Kaffee und ein Stück Marmorgugelhupf und fragte: »Wer ist der Schurli?«

Zuerst begriff die Mutter nicht.

»Der Schurli, der bei der alten Meier am Fenster war!«

Die Mutter goß dem Vater Kaffee nach. »Der Schurli ist der Sohn von ihrer Nichte, und die Nichte ist krank oder sie lebt in Scheidung, oder was weiß ich«, sagte die Mutter, »jedenfalls wohnt der Schurli jetzt bei ihr.«

»Auf lange?« fragte sie.

Die Mutter zuckte mit den Schultern.

Es war Mittag, und sie stand seit zwei Stunden auf dem Gang herum. Sie hüpfte auf einem Bein die Stiegen hinunter. Sie rutschte über das Stiegengeländer. Sie übte auf den gelben Steinfliesen Tempelhüpfen. Sie lehnte an den Gangfenstern vom ersten Stock und an denen vom zweiten Stock. Sie war dreimal im Hof gewesen und hatte die Abfallkübel auf und zu und auf und zu gemacht und eine Handvoll Blätter vom Fliederbusch gerupft. Irgendwann einmal, dachte sie, muß dieser Schurli doch aus der Wohnung kommen.

Der Geruch vertrieb sie vom Gang. Der Geruch wurde immer stärker. Es war der Sonntagsessengeruch. Er kam aus den Schlüssellöchern und aus den Türritzen und aus den Oberlichten über den Türen. Es war der Geruch von heißem Fett, in dem paniertes Fleisch gebacken wurde.

Sie ging aufs Klo. Dort war der Geruch nicht so stark.

Sie stieg auf die Muschel und schaute beim Fenster hinaus. Auf dem Fensterbrett der Meier war der Kanarienvogelkäfig. Der Hansi piepste und hüpfte vom unteren Stangerl auf das obere Stangerl und dann auf den Schaukelring. Sie pfiff auf zwei Fingern. Einen lauten, schrillen Pfiff. Sie war die einzige in der ganzen Gegend, die richtig laut auf zwei Fingern pfeifen konnte.

Die Meier kam zum Fenster, schaute in den Hof hinunter und rief: »Ruhe, da unten!«

Hinter der Meier tauchte der Schurli auf.

Sie konnte erkennen, daß der Schurli eine sehr kleine Nase hatte und daß seine Ohren etwas abstanden. Unter den Augen hatte er Sommersprossen. Der Schurli schaute zu ihrem Klofenster. Sie ging in Deckung. Sie hörte die Meier sagen: »Das ist die Prihoda Lotte! Die ist ein wahrer Sargnagel, ein Satan ist die!«

Ihre Mutter machte die Wohnungstür auf und rief.

Sie seufzte, verließ das Klo und ging fette Schnitzel und Gurkensalat essen. Sie aß immer zuviel Gurkensalat, und sie biß die Gurkenscheiben nicht sorgfältig klein.

»Schling nicht so«, sagte die Mutter.

»Gurken sind sowieso so schwer«, sagte der Vater.

»Wieso schwer?« fragte sie.

»Schwer verdaulich«, sagten der Vater und die Mutter im Chor.

Sie versuchte sich vorzustellen, wie sie schwer verdaute. Der Magen, ein roter, fleischiger Luftballon, im roten, fleischigen Luftballon graue Fleischstücke und dazwischen braune Panierbrösel und die weißen Nudeln aus der Rindssuppe, hellgrüne Gurkenscheiben, gelbe Erdäpfelbrocken und winzige Sprenkel Petersilie, und alles drehte sich und schwappte herum im roten, fleischigen Luftballon.

»Wenn ich ein Fenster im Bauch hätte ...« begann sie und redete nicht weiter, weil die Augen der Mutter so starr glotzten und die Goldkrone am linken Eckzahn der Mutter blitzte.

»Was wär dann?« fragte der Vater.

Sie zuckte mit den Schultern und murmelte: »Nichts, gar nichts wär dann.«

»Unsinn«, drängte der Vater, »du wolltest doch etwas sagen!«

»Dann könnte ich die schwere Verdauung sehen.«

Der Vater lachte. Er lachte dröhnend und lang.

»Das sind keine Tischgespräche«, jammerte die Mutter, stach mit der Gabel in das letzte Schnitzel auf der Platte und holte es sich auf den Teller.

Das letzte Schnitzel – fand sie – war widerlich. Auf der Unterseite vom letzten Schnitzel sammelte sich das abgetropfte Backfett aller übrigen Schnitzel.

Die Mutter hatte das letzte Schnitzel am liebsten.

Der Vater lachte noch lauter. Er wischte sich Lachtränen aus den Augen. »Keine Tischgespräche«, rief er, »Alte, du spinnst!«

»Ich will nicht, daß du Alte zu mir sagst«, erklärte die Mutter und schnitt das letzte Schnitzel in kleine Quadrate.

»Warum soll ich nicht Alte sagen, Alte?« fragte der Vater und lachte weiter.

»Jeden Sonntag steigt dir das Bier in den Kopf! Bierblöd bist du!« rief die Mutter. Die Mutter zeigte auf die zwei Bierflaschen, die auf dem Tisch standen und leer waren.

»Alte«, sagte der Vater langsam und mit Genuß, »Alte, von zwei Flaschen Bier werd ich nicht blöd. Überhaupt,

wenn du eineinhalb davon säufst!«

»Red nicht so blöd«, murmelte die Mutter und spießte Schnitzelquadrate auf die Gabel und schnappte mit dem Mund nach der Gabel und zog das Schnitzelquadrat herunter und hatte die Gabel schon wieder im nächsten Schnitzelquadrat drinnen und zum Mund geführt und mit den Zähnen das Fleisch von der Gabel geholt.

Sie schloß die Augen. Sie spürte in ihrem roten, fleischigen Luftballon die Gurken. Als ob nur Gurken dort wären. Die Gurken drängten nach oben. Die Gurken wollten nicht im Bauch bleiben. Der Gurkengeschmack kam in den Mund zurück. Sie schluckte ihn hinunter. Der Gurkengeschmack kam wieder. Sie rülpste.

»Schweindl«, sagte der Vater.

»Rülpsen ist gesund«, sagte die Mutter.

Nach dem Mittagessen hielten die Eltern den Sonntagsnachmittagsschlaf. Sie ging in den Hof hinunter. Als sie bei der Klotür vorbeikam, blieb sie stehen und streichelte das blaugestrichene Holz und fuhr mit dem Zeigefinger die weißlackierte Rille zwischen Türrahmen und Türfüllung nach. Es war beruhigend, das Klo zu haben.

Sie rutschte über das Treppengeländer hinunter. Das Geländer war aus schwarzen Eisenstäben mit einer abgegriffenen Holzstange darüber. Auf der Holzstange steckten – in Abständen von einem Meter – Holzkugeln. Die Holzkugeln machten das Rutschen schwer. Sie überlegte, ob der Baumeister die Holzkugeln zur Zierde oder gegen das Rutschen gemacht hatte. Das Haus war sehr alt. Sie konnte nicht glauben, daß die Kinder vor so langer Zeit überhaupt gerutscht waren. Kinder in hohen Schnürstiefeln und langen weißen Leinenunterhosen mit Rüschen und

40

langen Kleidern und Schutenhüten.

Sie setzte sich auf die unterste Stufe der Treppe. Der Gurkengeschmack war wieder im Mund und ließ sich nicht hinunterschlucken.

Sie betrachtete die gelben Steinfliesen und die hundsbraun gestrichenen Wohnungstüren und die hellblau bemalten Wände mit den abgeblätterten Stellen und fragte sich, ob in so einem Haus je Kinder mit Schutenhüten und Schnürstiefeln gelebt hatten. Sie glaubte auch das nicht. Die Kinder, die früher in diesem Haus gewohnt hatten, mußten anders gewesen sein, ganz anders. Die mit den Schutenhüten und den Schnürstiefeln waren sicher in den Häusern mit den Gärten und den Zäunen davor gewesen. Sie hätte gern jemanden gehabt, den sie nach den Kindern aus ihrem Haus hätte fragen können.

Sie stand auf, ihr Hintern war kalt, so kalt wie die Steinstufen.

Die Hoftür war am Sonntag verriegelt. Weil am Sonntag Teppichklopfen und Mistkübel ausleeren verboten war. Sie zog den Riegel zurück, zwickte sich dabei den Finger ein und fluchte.

Sie warf die Hoftür hinter sich zu. So laut es ging. Damit der Schurli, oben im zweiten Stock, hörte, daß jemand in den Hof gegangen war.

Dort, wo sie gestern in der Nacht – fast schon im Traum – den Tannenbaum hatte wachsen lassen, legte sie die graue Decke mit den schwarzen Streifen auf. In die Decke war mit roten Fäden und großen Buchstaben eingewebt: EIGENTUM DER STADT WIEN.

Solche Decken konnte man nicht kaufen. Darum war die Mutter dagegen, die Decke im Hof aufzulegen. »Die Leute

glauben sonst, wir haben sie gestohlen«, sagte die Mutter.
»Haben wir sie gestohlen?« fragte sie.

»Dein Vater hat sie mitgenommen«, sagte die Mutter.
»Damals waren die Zeiten anders. Da hat es nichts gegeben. Da haben alle Leute etwas mitgenommen!«

Sie hätte frage können, warum die Leute die Decke nicht sehen durften, wenn sie doch alle etwas mitgenommen hatten und wenn sie wußten, daß die Zeiten anders gewesen waren. Sie fragte nicht. Ihre Mutter war keine Frau zum Fragen. Ihre Mutter wußte nichts. Ihre Mutter wußte nur, was man tun sollte, und nicht, warum man es tun sollte. Ihre Mutter wurde böse, wenn man Sachen fragte, die die Mutter nicht wußte.

Sie nahm die Decke nur, wenn die Mutter schlief oder nicht zu Hause war.

Sie legte sich auf die Decke, auf den Bauch und schlug das Buch auf. Sie las nicht gern. Dieses Buch war besonders langweilig. Doch es hatte schöne Bilder. Was in dem Buch geschrieben war, hatte für sie mit den Bildern nichts zu tun. Es war eine Geschichte von blöden Kindern, die Gutes tun wollten und einen Geheimklub für gute Taten gegründet hatten. Die Bilder waren anders. Sie hatte eine Geschichte zu den Bildern. Auf dem ersten Bild, vorne im Buch, waren sieben Kinder, die hockten auf einem Gartenzaun und lachten. Hinter dem Gartenzaun war ein Garten mit Rosen und Apfelbäumen, und hinter den Apfelbäumen war ein Gartenhaus.

Die sieben Kinder waren die Bande »schwarzer Dolch«, und das Gartenhaus gehörte der Frau Simon, die mit einem Schenkelhalsbruch seit drei Monaten im Spital lag. Der »schwarze Dolch« war in ihr Gartenhaus eingezogen.

Das dritte Kind von links war sie selber. Jede Nacht raubte sie aus dem Konsum Konserven und Schokolade und aus dem Automaten Zigaretten und aus· dem Wirtshaus Bier, und am Nachmittag dann, nach der Schule, aßen und tranken und rauchten sie im Garten.

Auf dem nächsten Bild war eine alte Frau. Sie saß in einem Rollstuhl und strickte. Zwei Kinder schauten zum Fenster herein und lächelten. Die alte Frau war die Besitzerin vom Nachbargarten. Sie keppelte dauernd über den Zaun herüber. Darum wurden zwei Mitglieder vom »schwarzen Dolch« ausgeschickt, um die Alte mit der Strickwolle an den Lehnstuhl zu fesseln und ihr dann das Wollknäuel als Knebel in den Mund zu stecken; damit sie nicht mehr schimpfen konnte.

Sie blätterte weiter im Buch. Bevor sie zum dritten Bild kam, quietschte die Hoftür. Sie schaute nicht hoch. Entweder war das jemand, der trotz Sonntagsverbot den Mistkübel ausleerte – und dann war es der alte Franz –, oder es war der Schurli.

Sie hörte keine Tap-tap-Schritte, sie hörte kein Asthmahusten und kein Abfallkübel-Geschepper.

Sie starrte in das Buch, auf eine Seite ohne Bild. Sie las: . . . nahm sie ihre Tochter in die Arme und drückte sie fest an . . . Sie las die Buchzeile immer wieder. Sie hatte keine Lust, weiterzulesen. Lesen war ihr fremd und unangenehm. Wenn sie von der Buchzeile – ohne den Kopf zu bewegen – so weit als möglich nach vorne schielte, sah sie zwei Schuhspitzen. Zwei Sandalenspitzen mit roten Socken unter den braunen Lederriemen. Sie senkte den Kopf noch tiefer. So konnte sie die Schuhspitzen zwar nicht mehr sehen, doch jetzt fielen ihre Haare nach vorne über die Schultern, über

das Buch. Sie wußte, daß selten jemand so viele, dicke, glänzende Haare wie sie hatte.

Sie lag ganz still. Obwohl die Sonne in den Hof schien, kroch langsam ein kaltes Kribbeln über ihren Rücken herauf bis zu den Schultern. Sie bekam eine Gänsehaut. Er soll etwas sagen, dachte sie. Er sagte nichts, und sie hielt das nicht aus. Sie hob den Kopf, schaute hoch, sagte: »Du bist der Schurli, du wohnst bei der alten Meier, ich habe dich beim Küchenfenster gesehen!«

Während sie redete, dachte sie: Ich rede zuviel, ich rede zu schnell, ich rede blöd.

Der Schurli nickte. Sie klappte das Buch zu und rutschte an den Deckenrand. Der Schurli setzte sich neben sie auf die Decke.

»Was liest du?« Er nahm ihr das Buch aus der Hand. »Spannend?« fragte er.

»Überhaupt nicht«, murmelte sie. Sie meinte die geschriebene Geschichte. Von der Geschichte in den Bildern zu reden, wäre zu schwierig gewesen.

Der Schurli blätterte im Buch. Die Sonne war jetzt sehr heiß. Sie hatte die dicke Jeans an. Sie schwitzte. Die Jeans klebte an den Schenkeln und am Bauch. Ihr Rücken war naß. Es störte sie nicht.

»In welche Klasse gehst du?« fragte der Schurli.

»In die vierte«, sagte sie.

»Ich auch«, sagte der Schurli. »Aber ich habe schon Ferien!«

Sie fuhr hoch, die Ferien begannen doch erst in einer Woche! Sie konnte sich nicht auf die Ferien freuen, weil vor den Ferien Zeugnisverteilung war. Sie war im schlechten Drittel der Klasse. Ihre Mutter wollte aber unbedingt eine Tochter im mittleren Drittel oder im guten Drittel. Eigentlich wollte ihre Mutter eine Klassenbeste. Die erste Ferienwoche über war die Mutter widerlich.

»Ich habe schon Ferien, weil ich«, der Schurli zeigte hinauf zum Fenster der alten Meier, »weil ich jetzt bei ihr wohne. Der Weg ist zu weit. Ich müßte über eine Stunde mit der Straßenbahn fahren.«

»Hast du schon ein Zeugnis?« fragte sie.

»Schicken sie mir mit der Post. Eingeschrieben«, sagte der Schurli. Und: »In Singen krieg ich einen Zweier.«

»Und was kriegst sonst?«

»Sonst?« Der Schurli schaute erstaunt. »Sonst krieg ich Einser, natürlich!«

»Ich auch«, sagte sie. Den Schurli wunderte es nicht.

Sie hörte das Telefon klingeln. Es war ihr Telefon. Sie hatten das einzige Telefon im Haus.

»Unser Telefon klingelt.« Sie war stolz auf das Telefon. Ihr Vater war beim Gaswerk angestellt. Dort verdiente er zwar wenig Geld, aber er hatte einen sehr wichtigen Posten. So wichtig, daß man ihn manchmal anrufen mußte und er dann schnell ins Gaswerk fuhr, um etwas zu kontrollieren oder zu reparieren. Auch wenn es mitten in der Nacht war. Sie konnte sich überhaupt nicht vorstellen, was ihr Vater arbeitete. Sie konnte sich nicht einmal das Gaswerk vorstellen. Sie wußte nur, daß ihr Vater wichtig genug für ein Telefon war. Sie sagte gern in der Schule zu einem Kind: »Ruf mich doch am Nachmittag an!« und sie war dann sehr zufrieden, wenn das Kind sagte: »Wir haben kein Telefon!«

Das Telefon klingelte nicht mehr. Ihre Mutter stand beim Küchenfenster. »Lotte«, rief die Mutter, »Lotte, komm herauf.«

Sie wollte nicht. Sie schüttelte den Kopf.

»Lotte, so komm schon!«

Sie stand auf. »Ich komme gleich wieder«, sagte sie leise. Sie lief zur Hoftür, rannte die Treppe hoch, nahm zwei Stufen auf einmal und war sich nicht sicher, ob der Schurli ihr »Ich komme gleich wieder« gehört hatte.

»Telefon für dich«, sagte die Mutter. Die Mutter stand in der offenen Wohnungstür, mit zerrauften Haaren und verschlafenen Augen.

Sie nahm der Mutter den Telefonhörer aus der Hand. Das Telefon stand auf dem kleinen Kastel neben dem Küchenfenster. »Hallo«, rief sie.

Sie konnte beim Telefonieren in den Hof hinunterschauen. Der Schurli blätterte wieder im Buch. Sie hörte die Stimme vom Mundi. »Wir fahren in den Prater in einer halben Stunde, und die Mama hat gesagt, du kannst mitkommen.«

Sie sah, daß der Schurli das Buch zuklappte und von der Decke aufstand.

»In den Prater?« fragte sie langsam.

»Ja, Autodrom fahren und Hochschaubahn und Blumenschießen und flippern«, brüllte der Mundi aufgeregt.

Sie sah, daß der Schurli zur Hoftür ging. Sie machte einen Schritt weiter zum Fenster hin. Das Telefonkabel war ganz gespannt. Jetzt konnte sie die Hoftür sehen. In der Hoftür stand die alte Meier. Die alte Meier hatte einen weißen Strohhut mit gelben Margeriten auf dem Kopf und an den Händen weiße Perlon-Spitzenhandschuhe.

»Hallo, Lotte, hallo!« brüllte der Mundi.

Sie sah, daß die alte Meier dem Schurli einen blauen Blazer hinhielt. Sie sah den Schurli in den blauen Blazer schlüpfen.

»Wir holen dich ab!« rief der Mundi.

Sie beugte sich aus dem Fenster.

»Bist du verrückt«, kreischte die Mutter und hielt den Telefonapparat fest. Er wäre sonst vom kleinen Kastel gefallen. Sie sah den Schurli und die alte Meier im Hausflur verschwinden. Sie machte einen Schritt vom Fenster weg.

48

»Wann holst du mich ab, Mundi?« fragte sie.

»In zehn, fünfzehn Minuten«, rief der Mundi.

Sie legte den Hörer auf das Telefon.

»Hol sofort die Decke herauf, wie oft hab ich dir gesagt, daß du die Decke nicht nehmen darfst! Und zieh dich gefälligst um! So kannst du mit den Wolfs nicht in den Prater fahren!«

Sie ging die Decke holen.

»Mach nicht so ein Gesicht!« rief ihr die Mutter nach. »Andere Kinder täten sich vor Freud in den Bauch beißen, wenn man sie in den Prater mitnehmen täte!«

Sie rollte die Decke zu einer langen Wurst und schob das Buch in die Wurst hinein. Er ist nicht freiwillig gegangen, dachte sie. Die alte Meier hat ihn gezwungen!

Sie trug die Deckenwurst in die Wohnung hinauf. Es tat ihr leid, daß der Mundi schon in zehn Minuten kam. Sie wäre gern noch auf das Klo gegangen, aber zehn Minuten waren nicht genug für das Klo.

Der Herr Wolf hatte zwei Autos. Einen Lieferwagen und einen Mercedes. Einen gelben Mercedes mit schwarzen Sitzen. Sie saß neben dem Mundi, hinter der Frau Wolf. Ihr Vater hatte einen alten Volkswagen, dem seit einem Jahr die hintere Stoßstange fehlte. Sie lehnte sich in der schwarzen Polsterung zurück. Der Mundi gab ihr Popcorn. Die Frau Wolf drehte sich um und gab ihr eingewickelte Bonbons.

»Wie wird denn das Zeugnis?« fragte die Frau Wolf.

»Scheiße wird's!« sagte sie.

»Hauptsache, ihr bleibt nicht sitzen«, grinste die Wolf.

Der Mundi war schon einmal sitzengeblieben. Sie wußte

nicht, ob es dem Mundi etwas ausmachte. Ihr hätte es viel ausgemacht. Der Herr Wolf fluchte über einen, der im Auto vor ihm saß, und nicht schnell genug in die Hauptstraße einbiegen wollte.

»Hupen Sie doch«, sagte sie.

»Hupen ist verboten«, sagte der Mundi.

Der Herr Wolf hupte.

»Hupen Sie noch einmal«, bat sie. Der Herr Wolf hupte.

»Deppat wie ein Kind«, schimpfte die Wolf.

Auf dem großen Parkplatz vor dem Prater, als sie ausstiegen, kam ein Bub, der sagte zum Herrn Wolf: »Ich paß auf Ihr Auto auf!«

Der Herr Wolf gab dem Buben ein Fünf-Schilling-Stück. Sie ärgerte sich, daß der Prater so weit weg von ihrer Wohnung war. Sie hätte sich auch gern auf den Parkplatz gestellt und Fünf-Schilling-Stücke kassiert.

»So gehn wir doch schon!« drängte der Mundi. Er zappelte vor Ungeduld.

Sie kauften Luftballons, die wie Osterhasen aussahen, und als ihr Luftballon platzte, weil ein junger Mann seine brennende Zigarette dagegenhielt, kaufte der Herr Wolf noch einen Luftballon. Einen, der aussah wie eine lange Gurke. Sie fraß drei Pakete gebrannte Mandeln und vier Zuckerstangen. Sie fuhr siebenmal auf dem Autodrom und dreimal auf der Hochschaubahn. Dem Mundi wurde auf der Hochschaubahn schlecht. Er mußte sich erbrechen. Mitten unter der Fahrt. Nachher war die Handtasche der Frau Wolf versaut. Der Herr Wolf lachte darüber, und die Frau Wolf lachte auch. Der Mundi hockte, grün-gelb im Gesicht, auf der Bank neben dem Hochschaubahn-Kartenschalter. Er wollte nicht mehr fahren, nirgends mehr.

»Aber bei den lebenden Pferden, da wird dir sicher nicht übel, bitte, Mundi«, lockte sie, »bitte!«

Der Mundi ging mit ihr zu den lebenden Pferden. Die Wolfs setzten sich ins Wirtshaus gegenüber. Sie tranken Bier. Der Mundi setzte sich in die Kutsche. Sie setzte sich auf ein Pferd. Die Musik begann zu spielen. Die Pferde liefen im Kreis. Sie war noch nie auf einem Pferd gesessen, aber sie hatte keine Angst. Es ging ein leichter Wind, der ihr die Haare ins Gesicht blies. In der Eingangstür zum Pferde-Reiten-Kutschen-Fahren stand ein Bub, der trug einen blauen Blazer. Sooft sie an dem Buben in dem blauen Blazer vorbeikam, tat es ihr leid, daß der Bub nicht der Schurli war.

Der Schurli würde sie bewundert haben!

Der Schurli würde sie schön gefunden haben!

Die Musik hörte auf. Der Mundi wollte aus der Kutsche steigen.

»Noch einmal«, rief sie. Jetzt, wo die alten Wolfs nicht dabei waren, brauchte sie nicht zu bitten. Jetzt konnte sie anschaffen.

»Ich hab nicht mehr genug Geld«, sagte der Mundi.

»Hol noch was, beeil dich!« Sie nahm ihm das Zehnschillingstück aus der Hand. Das Zehnschillingstück reichte für eine Fahrt. Für ihre Fahrt.

Der Mundi lief zum Wirtshausgarten.

Die Pferdefrau kam kassieren. Sie gab der Pferdefrau das Zehnschillingstück. Die Musik begann. Die Pferde trabten los. Sie ließ sich die Haare ins Gesicht blasen und grinste. Der Mundi stand keuchend bei der Tür, hielt ein Zehn-Schilling-Stück in der Hand und schaute verzweifelt.

Als die Musik zu Ende ging und die Pferde stillstanden, rutschte sie vom Rücken des Pferdes.

Der Mundi kam zu ihr.

»Warum warst denn so langsam?« fragte sie.

»Ich bin eh so gerannt«, sagte der Mundi.

»Ich hab der Pferdefrau gesagt, sie soll auf dich warten, weil du noch kommen wirst«, log sie, »aber die Pferdefrau hat nicht warten wollen.«

Der Mundi sah sie dankbar an.

Trottel, dachte sie. Der glaubt auch alles.

»Gibst du mir jetzt den Zehner?« fragte sie.

»Wieso? Wir können ja noch woanders damit fahren?«

»Dann kannst du ja wieder einen Zehner verlangen«, schlug sie vor.

Der Mundi zuckte mit den Schultern, nickte dann und gab ihr den Zehner.

Sie steckte den Zehner in die Hosentasche.

Sie hatte ihre neue rote Leinenhose an. Reicht für zwei große Eis, dachte sie.

Sie wollte nicht vom Prater weg. Es gab noch so viel. Eis und Grottenbahn, Essiggurken und Schießbuden und Flipperautomaten, Motorboot-Wasserfahrten und Zukkerwatte, Rundschaukel und Rollschuhlaufen. Ihre Mutter legte vor dem Praterbesuch immer genau fest: fünfmal fahren zu fünf Schilling, dreimal zu sieben Schilling und zweimal zu zehn Schilling. Zwei Eis und ein Paar Würstel.

Die Wolfs legten nichts fest.

Die Wolfs griffen in die Taschen und holten Zehner heraus und lachten.

Es sind die Zehner und die Fünfer, dachte sie, die die Wolfs am Abend vorher auf dem Tisch in dem Hinterzimmer zu kleinen Stößen aufgetürmt haben! Es müssen noch mehr Zehner und Fünfer in den Taschen sein, und die Zwanziger und die Fünfziger müssen auch noch da sein, dachte sie.

Der Herr Wolf wollte nach Hause. Der Herr Wolf mußte immer zeitig ins Bett, weil er schon um vier Uhr am Morgen mit dem Lieferwagen zum Großmarkt fuhr.

»Mundi«, flüsterte sie, »Mundi, sag, daß du dableiben willst!«

Der Mundi sagte: »Ich will dableiben!« aber er gähnte

53

dabei.

Der Herr Wolf kaufte noch zwei Luftballons, die Frau Wolf schoß noch sieben rote und vier gelbe Papierrosen und einen kleinen gelben Teddybären mit einem Tirolerhut.

Der Mundi brauchte noch dringend ein Klo, dann gingen sie zum Parkplatz.

Der Parkplatz war fast leer.

Sie schaute sich um. »Der Bub paßt aber nimmer auf Ihr Auto auf«, stellte sie fest.

»Blöd wird er sein«, lachte die Wolf, »der kassiert und schleicht sich, der ist doch kein Trottel!«

»Warum haben Sie ihm dann das Geld gegeben?« fragte sie.

Der Herr Wolf stieg in den Mercedes. »Damit er mir nicht den Rückspiegel abbricht oder die Reifen zersticht!«

»Hätte der Bub das getan, wenn sie ihm nichts gegeben hätten?« fragte sie.

Der Herr Wolf zuckte mit den Schultern, und die Frau Wolf sagte, man könne das nie wissen.

Sie setzte sich ins Auto. Hinten hin, zum Mundi. Sie griff in ihre Hosentasche nach den Münzen. Es mußten ungefähr sechsundvierzig Schilling sein. Der Zehner vom Pferde-Kutschen-Fahren, das Wechselgeld von den Autodrom-karten und die Schillingstücke, die sie im Kies unter dem Wirtshaustisch gefunden hatte.

Der Mundi war müde. Er lehnte seinen Kopf an ihre Schulter. »Ich schlafe nicht«, murmelte er.

Sie mochte den Mundi. Jetzt mochte sie den Mundi. Sie spürte, daß sie den Mundi mochte.

Vor ihrer Haustür stieg sie aus dem Auto. Sie bekam al-

les. Alle Luftballons und alle Papierrosen, den Teddybären und die Schießkarten mit dem Loch durch das
Schwarze. Den Bonbonsack, der noch halb voll war, und
die zwei Popcorn-Familienpackungen. Der Luftballon-
binkel war zu breit für die schmale Haustür. Sie mußte
einen nach dem anderen durch die Tür boxen. Der Mundi
winkte. Sie winkte zurück, bis der Mercedes um die Ecke
bog.

Ihre Eltern hatten Besuch, die Hermi-Tante und ihren neuen Freund. Der neue Freund war dick, hatte einen Schnurrbart und ein schweinsrosa Hemd. Sie spielten Karten. Bauernschnapsen hieß das Spiel. Ihre Mutter gewann anscheinend, denn sie war sehr lustig und laut. Ihr Vater verlor anscheinend, denn er war nicht lustig und murmelte dauernd: »Bei dem Blatt kein Wunder, kein Wunder bei dem Blatt!«

Sie sollte sich Brote mit Geselchtem* nehmen und Apfelsaft trinken. Niemand interessierte sich für den Prater. Die Hermi-Tante und der Schnurrbärtige saßen auf ihrem Bett. Die Zwei-Liter-Rotweinflasche war noch halb voll. Sie wußte, daß sie sobald niemand ins Bett schicken würde. Sie ging aufs Klo. Sie band die Luftballonschnüre an das Leitungsrohr hinter der Spülung. Der Gurkenluftballon reichte bis zur Decke. Sie setzte den Teddybären auf den Spülungskasten, und den Papierrosenstrauß steckte sie in den bestickten Papierbehälter.

Draußen war es noch hell, im Klo war es ziemlich dunkel. Neben ihrem Klo war das Klo, das zur Wohnung ihrer Eltern gehörte. Sie hörte ihre Wohnungstür aufgehen, hörte Schritte, hörte die Tür vom Klo nebenan aufgehen. Es mußte der Schnurrbärtige sein, denn sie kannte die Schritte nicht. Sie hörte es rieseln und dann die Wasserspülung rauschen, und dann murmelte der Schnurrbärtige: »Haben nicht einmal Licht am Scheißhaus!« Sie war empört. Trottel, dachte sie. Frißt unser Geselchtes, sitzt auf meinem Bett, sauft unseren Wein und schimpft auf unser Klo!

* Geselchtes – geräuchertes Fleisch

Die Klotür neben ihr fiel ins Schloß, die Wohnungstür fiel auch zu, sie hoffte, daß die Hermi-Tante nicht den Schnurrbärtigen heiratete. Sie wollte ihn nicht jeden Sonntag im Haus haben.

Der Kanarienvogel Hansi piepste. Sie schaute zum Küchenfenster der alten Meier. Die Meier stand hinter dem Kanarienkäfig und füllte Vogelfutter in den gläsernen Futterbehälter. Vom Schurli war nichts zu sehen.

Sie pfiff auf zwei Fingern, aber nicht sehr laut. Sie stieg auf die Muschel, zog sich am Fensterbrett hoch, zwängte sich mit den Schultern durch die schmale Fensteröffnung, beugte sich weit aus dem Fenster – ihre Beine baumelten jetzt in der Luft – und sang. Sie sang: »Tief im Wassa, tief im Wassa, schwimmt die Meier, als a naßa, schnell a Rettung her, schnell a Rettung her, sonst derrett mas nimmer mehr!«

Die alte Meier legte die Futtertüte weg und drohte mit der Faust zum Klofenster hinunter.

Sie grinste und sang: »Vierzehn Tage liegt's schon drin, und die Karpfen sind schon hin!«

»Wirst sofort die Goschen halten«, schrie die Meier.

Sie begann wieder: »Tief im Wassa, tief im Wassa, liegt die Meier, als a naßa . . .«

Heute war die Meier nicht gefährlich. Die Mutter gewann beim Bauernschnapsen und der Vater trank Rotwein und der Schnurrbärtige hielt mit der Hermi-Tante Händchen. An solchen Abenden lachten die Eltern die alte Meier aus, wenn sie sich beschweren kam.

Die alte Meier drehte sich vom Fenster weg. Die alte Meier sagte: »Schurli, du gehst jetzt schlafen! Aber sofort! Bei mir geht's ordentlich zu, bei mir bleiben die Kinder nicht bis Mitternacht auf!«

»Es ist erst halb neun«, rief sie nach oben.

Die Meier murmelte etwas, was sie nicht verstand, und schloß das Küchenfenster.

Sie drückte ihre Schultern durch das enge Klofenster, suchte mit den Füßen Halt, fand das Sitzbrett, stand auf der Klomuschel, stipste mit dem Zeigefinger gegen einen Luftballon und dachte nach. Der Schurli mußte jetzt also schon schlafen gehen. Alle Leute gingen – bevor sie schlafen gingen – auf das Klo, und da war der Schurli sicher keine Ausnahme!

Sie sprang von der Muschel, setzte den Teddy zurecht, der umgefallen war, und verließ das Klo. Sie schlich in den zweiten Stock hinauf. Sie lehnte sich in die Nische beim Gangfenster und wartete. Der Schurli muße an ihr vorbeigehen, wenn er aufs Klo wollte.

Er kam, in einem hellblauen Pyjama mit roten Punkten und hellgrünen Filzpatschen. Den großen, schwarzeisenen Schlüssel hielt er in der ausgestreckten Hand. Sie hatte das Gefühl, daß der Schurli Angst hatte. Er schaute jetzt so aus wie der Otmar aus dem Nachbarhaus, wenn er in den Keller gehen mußte. Sie rief nicht »buhhhh« und sprang nicht aus der Fensternische, obwohl sie sich das vorgenommen hatte. Sie blieb still stehen und sagte leise: »Hallo!«

Der Schurli erschrak trotzdem und ließ den Kloschlüssel fallen.

»Ich wollte dich nicht erschrecken«, sagte sie.

Der Schurli hob den Kloschlüssel auf. Sie standen dicht nebeneinander. »Ich bin doch nicht erschrocken«, sagte er, »der blöde Schlüssel ist nur so groß!«

Sie nickte. Der Schurli schaute zu Boden. Auf seine getupfte Hose und auf die Filzpatschen. »Ich will noch gar nicht schlafen gehen«, sagte er.

»Ich bleibe noch stundenlang auf. Meine Eltern haben Besuch«, erklärte sie, und: »Wir könnten was spielen.«

»Was denn?«

»Allerhand!« Sie streckte die Unterlippe vor und wiegte den Kopf hin und her. »Ich habe Pokerwürfel und viele Comics habe ich auch und . . .«

Die Wohnungstür der alten Meier ging einen Spalt weit auf. »Dauernd lauert sie!« flüsterte der Schurli.

Sie zog ihn zur Treppe.

»Schurli, wo bleibst denn, Schurli, brauchst ein Papier?« rief die alte Meier.

Sie zog den Schurli die Treppe hinunter, vor ihre Klotür. »Kannst du noch ein bißl wegbleiben oder traust dich nicht?«

Sie meinte es ehrlich. Es hätte ihr nichts ausgemacht, wenn er sich nicht getraut hätte.

»Die Alte kann mir den Buckel runterrutschen«, sagte der Schurli.

Oben, im zweiten Stock, waren jetzt Schritte. Die alte Meier ging zur Klotür. »Ist ja gar nicht drinnen«, sagte sie. Und dann wieder: »Schurli!«

»Sie kommt die Stiege herunter«, flüsterte der Schurli.

Sie zog den Kloschlüssel aus der Hosentasche, sperrte das Klo auf, drängte den Schurli hinein und riegelte zu. Sie kicherte.

»Schurli-schurli-schurli!« Die alte Meier war schon im ersten Stock.

Sie lauschte. »Die Alte geht ins Parterre hinunter«, stellte sie fest. Kurz darauf hörten sie die Hoftür quietschen. Und die alte Meier rief jetzt sehr laut nach dem Schurli.

»Sie Rauchfangtauben Sie, geben's doch Ruh!« Das war die Stimme vom alten Franz. »Grad wär ich eingeschlafen, und da kommt Ihre Keifstimme, und aus ist's mit dem Schlafen!«

Sie hatte den alten Franz gern. Obwohl er siebenmal so alt war wie sie, konnte er die gleichen Leute leiden, die sie mochte, und schimpfte hinter denen her, die sie nicht ausstehen konnte. So etwas war selten.

Jetzt schnaufte die alte Meier wieder die Stiegen hinauf. »Nix wie Scherereien – garantiert diese Lotte, dieses Prihoda-Mensch! Und ich hab die Verantwortung!« schimpfte die alte Meier beim Stiegensteigen.

»Solltest nicht doch lieber gehen?« fragte sie.

Der Schurli schüttelte den Kopf. Er saß auf der Klomuschel und leuchtete mit der Taschenlampe auf den Comic-Stoß. »So viele?« sagte er andächtig.

»Schenk ich dir«, sagte sie.

Er war der erste Mensch, den sie in ihr Klo gelassen hatte, und sie war froh, daß er hier war. Er blieb eine Stunde bei ihr. Sie würfelten nicht und sie schauten keine Comics an. Sie hockte vor dem Schurli auf dem Boden, und der Schurli erzählte ihr, warum er bei der alten Meier war und wo er hergekommen war und wer er eigentlich war. Der Schurli redete ziemlich wirr und so, als ob sie die Hälfte von seinem Leben schon wüßte. Er sagte zum Beispiel: »Und da ist er mit der Hilda weg!« Sie wußte nicht, wer die Hilda war. Aber sie fragte nicht nach der Hilda. Sie wollte den Schurli nicht unterbrechen. Sie hatte Angst, er könnte sonst zu reden aufhören. Sie nahm sich vor

– heute nacht, im Bett dann –, alles genau zu überlegen. Alle wirren Sätze vom Schurli zu einer zusammenhängenden Geschichte zu machen. Den Vater, der mit der Hilda weg war. Die Mutter, die in der Fabrik arbeitete und Nachtschicht hatte. Die aber nicht so oft Nachtschicht hatte, wie sie sagte, weil die Meier sie im Nachtcafé am Gürtel gesehen hatte. Den Bruder, der noch so winzig klein war und den sie in ein Heim gegeben hatten. Und sie würde auch den alten Hund in der Geschichte unterbringen. Der Hund tauchte dauernd in den wirren Sätzen vom Schurli auf. Ein großer alter Hund, nicht so ein blöder Dackel wie der Meierhund.

»Bleibst du jetzt immer hier?« fragte sie den Schurli, bevor er ging.

»Hoffentlich nicht«, antwortete der Schurli.

Sie verstand, daß er nicht immer bei der alten Meier bleiben wollte. Trotzdem hätte sie lieber »ja, immer!« vom Schurli gehört.

Die Handarbeitslehrerin war seit zwei Wochen krank, darum hatte sie am Montag nur drei Schulstunden. Sie hatte beschlossen, auf die drei Schulstunden zu verzichten.

»Jetzt lernen wir sowieso nichts mehr«, hatte sie zum Schurli gesagt.

»Und die Entschuldigung?« hatte der Schurli gefragt.

Sie hatte mit den Schultern gezuckt. Am Samstag war Schulschluß. Und im Herbst kam sie in eine andere Schule, in die Hauptschule.

»Die Lehrerin kann mich buckelfünferln!« hatte sie zum Schurli gesagt, und der Schurli hatte gelacht, weil er »buckelfünferln« noch nie gehört hatte.

Am Montagmorgen holte sie ein Handtuch und den Badeanzug aus dem Schrank und stopfte sie in den Turnbeutel.
Die Mutter sah den dicken Turnbeutel. »Du hast doch
heute gar nicht turnen!«

»Doch, zwei Stunden, statt Handarbeiten!«

Während die Mutter im Kabinett die Betten machte, holte
sie die halbe Stange Salami aus dem Eisschrank und den
Rest vom Nachtmahlgeselchten und ein großes Stück Eda-
mer Käse und stopfte alles in die Schultasche zwischen die
Hefte und die Bücher und das Federpenal.

»Ich werde heute später kommen«, rief sie. »Wir haben
noch die Probe fürs Abschlußsingen!«

»Wann kommst denn?«

Sollte sie sagen: Um zwei? Oder: Um drei?

Sie sagte: »Um halb vier!«

Der Schurli wartete an der Ecke.

»Was hast denn der alten Meier gesagt, wo du hingehst?«

»Nix«, grinste der Schurli, »sie redet gar nicht mehr mit
mir. Wegen gestern.« Er lachte.

»Macht's dir was aus?«

»Wenn sie redet, ist sie noch lästiger.« Der Schurli kicherte. »Dem Fifi-Viech hat sie gesagt«, er machte die Stimme
der alten Meier nach, »Fifi, geh gar nicht hin zu ihm, er
ist ein schlechter Bub!«

Sie gingen die Hauptstraße hinunter.

»Fahren wir Straßenbahn?« fragte sie.

»Gehn wir. Dann bleibt uns mehr Geld zum Trinken und
zum Essen!«

Sie hätte ihm gern die Hand gegeben, aber sie wußte nicht,
ob er das mochte. Sie kamen am Gemüseladen der Frau
Wolf vorbei. Der Schurli blieb vor der Kirschenkiste ste-

hen. »Wart«, er hielt sie an der Hand fest.

Die Wolf kam zur Ladentür.

»Ein halbes Kilo, bitte«, sagte der Schurli und kramte im Hosensack nach Geld.

»Lotte«, rief die Wolf, »es ist ja gleich acht Uhr. Du kommst zu spät, beeil dich doch!«

»Ich geh heut nicht in die Schule«, sagte sie.

»Madel, Madel, du bist mir eine.« Die Wolf griff vorsichtig mit den dicken Fingern in den Kirschenberg, nahm eine Handvoll und noch eine Handvoll und ließ sie in ein Plastiksackerl fallen. »Damit nix anpatzt wird. Sonst hast rote Flecken auf die Hefte.« Die Wolf drückte ihr das Plastiksackerl in die Hand. Der Schurli hielt der Wolf einen silbernen Fünfer hin.

»Steck ihn wieder ein«, sagte die Wolf, »die Lotte zahlt bei mir nichts. Das Fräulein Braut von meinem Sohn wird doch bei mir nix zahlen!«

Sie lachte, sagte »danke« und zog den Schurli vom Gemüseladen weg.

»Warum hast du ihr denn gesagt, daß du nicht in die Schule gehst?«

»Weil sie uns jetzt nachschaut und sowieso sieht, daß wir in die andere Richtung gehen. Die ist ja nicht blöd. Außerdem sagt sie es nicht weiter!«

»Du bist die Braut von ihrem Sohn?«

»Blödsinn, einen Schmarrn, nie im Leben bin ich dem Trottel seine Braut!«

Sie spielte, während sie weiterging, mit einem Papierfetzen Fußball. Der Fetzen flatterte hoch, fiel zu Boden, sie lief hinterher, gab dem Fetzen einen Tritt. »Tor«, brüllte sie, als der Fetzen in ein offenes Haustor flog.

»Soll ich den Turnbeutel tragen?« fragte der Schurli.
Sie gab ihm den Turnbeutel und sagte, daß ihr Badeanzug
drin sei, und wollte wissen, ob er seine Badehose schon anhatte.
»Ich hab gar keine Badehose. Sie haben mir keine mit-
gegeben.«

»Geh in der Unterhose!«

Der Schurli schüttelte den Kopf.

»Viele gehen in der Unterhose!«

»Meine ist dreckig!«

Sie sagte: »Ich geb dir meine. Die paßt dir. Die ist rot mit blauen Tupfen, die schaut wie eine echte Badehose aus!«

»Kommt nicht in Frage, ich geh doch nicht ein einer Mädchenunterhose!«

»Aber . . .«

»Nix aber!«

Sie schwieg und dachte: Er ist komisch. Er hat keine Badehose und seine Unterhose ist ihm zu dreckig und meine will er nicht. Warum hat er aber dann mit mir ausgemacht, daß wir ins Bad gehen, warum rennt er dann mit mir ins Bad? Da hätte er doch sagen müssen, daß er nicht baden gehen kann. Sie dachte: Wahrscheinlich will er, daß ich ihm gut zurede.

Sie redete ihm gut zu. Sie redete von ganz dreckigen, verschissenen Unterhosen, die sie schon im Bad gesehen hatte. Sie lobte ihre rote Unterhose, beschrieb, wie schön die sei und daß sie selber schon oft in ihr gebadet hatte.

Er wollte noch immer nicht.

Sie blieb stehen. »Dann können wir aber nicht baden gehen.«

»Ist mir doch ganz egal.« Der Schurli machte ein verbittertes Gesicht. Mit einem verbitterten Gesicht — fand sie — war er noch schöner. Aber sie hatte Angst, er könnte umkehren. Umkehren und nie mehr wiederkommen.

Er murmelte: »Ich hab zu Hause vier Badehosen, ich geh nicht mit einer Unterhose ins Bad, ich laß mich nicht auslachen!«

Sie waren schon bei der Endstation von der Straßenbahn. Vorne bei der Straßenbiegung war das große rote Schild mit dem gelben Pfeil darauf, unter dem in weißen Buchstaben STRANDBAD stand. Ihr mußte jetzt schnell etwas einfallen. Sie zögerte, weil sie nicht wußte, ob das, was ihr gerade eingefallen war, gescheit war. Dann streckte sie die Hand aus und zeigte auf den Wald hinter der Straßenbiegung, hinter den Siedlungshäusern. »Dort hinten ist der Hansl-Teich, wenn wir dort hingehen, da ist keiner, da sieht niemand deine Unterhose!«

Der Schurli schaute nicht mehr verbittert, er grinste. Jetzt war sie sich sicher, daß er grinsend am schönsten ausschaute.

»Gehn wir zum Hansl-Teich«, sagte der Schurli.

»Aber er ist nicht sehr tief.«

»Macht nichts.«

»Aber Kröten gibt's dort.«

»Macht nichts.«

»Und sehr sauber ist er auch nicht.«

»Macht nichts.«

Sie hatte noch nie im Hansl-Teich gebadet. Und der Herr Wolf hatte gesagt, im Hansl-Teich baden nur Dreckschweine, die von den vielen Bakterien Durchfall bekommen.

Sie gingen die Straße entlang und dann durch den Wald. Sie hatte keine Socken an. Die weißen Riemchensandalen taten ihr an den großen Zehen weh. Sie versuchte barfuß zu gehen. Sie trat auf eine Distel. Der Schurli zog ihr mindestens neun Stacheln aus der Fußsohle. Sie zog die Sandalen wieder an.

Der Hansl-Teich war mitten im Wald und sehr klein. Das Wasser schaute dunkelgrün aus.

»Der ist ja gar nicht so seicht«, sagte der Schurli.

»In der Mitte ist er ganz tief.« Sie wußte aber genau, daß man von einem Ufer zum anderen quer durch den Teich gehen konnte, ohne an den Schultern naß zu werden. Sie wußte auch, daß man besser nicht durchging, weil der Grund schlammig war und man bis zu den Knien im Dreck versank. Und im Dreck steckten alte Konservenbüchsen und rostiger Draht und zerbrochene Bierflaschen.

Sie holte das Handtuch aus dem Turnbeutel und legte es auf die gelbe Wiese.

»Überall ist was weggeschmissen!« Der Schurli trat gegen eine leere Zigarettenschachtel. Sie sammelte die leeren Zigarettenschachteln und die Kippen und die Alu-Folie-Kugeln und das Butterbrotpapier rund um das Handtuch herum auf und warf sie hinter eine Staude. Sie fand den Platz jetzt ziemlich schön. Der Schurli stand beim Ufer. Er nahm einen Stein. Er warf den Stein in den Teich. Der Stein platschte ins Wasser, und das Wasser färbte sich dunkelgrau. »Pfui Teufel«, sagte der Schurli. Dann brach er einen Ast von einer Staude, hockte sich nieder und stocherte mit dem Ast im Wasser herum. »So eine versaute Drecklacken«, murmelte er, zog den Ast aus dem Wasser. Auf der Spitze vom Ast steckte eine rostige Sardinendose. Der Schurli schleuderte die Sardinendose vom Ast. Die Dose sauste über ihren Kopf.

»Dahinein steig ich nicht!« erklärte der Schurli.

»Ich auch nicht«, sagte sie, »aber man kann Kröten fangen!«

Der Schurli hatte noch nie Kröten gefangen. Sie versprach,

ihm das Krötenfangen beizubringen. Sie holte die Salami und das Geselchte und den Käse aus der Schultasche. Sie wollte aus dem Käse Scheiben schneiden und die Scheiben mit Salami belegen. Sie bat den Schurli um sein Taschenmesser. Der Schurli hatte keines.

»Du hast kein Taschenmesser?« Alle Buben, die sie kannte, hatten Taschenmesser.

»Daheim hab ich sieben«, sagte er, »aber ich hab sie nicht mitgenommen.«

Sieben Taschenmesser und vier Badehosen! Sie mußte lächeln.

»Glaubst mir nicht?«

»Aber ja, wirklich«, sagte sie. Es war ihr ganz gleich, wieviele Hosen und Messer er hatte und ob er die Wahrheit sagte oder ob er log.

Sie biß von der Salami ab. Der große Salamibrocken in ihrem Mund schmeckte nach Seife und ranzigem Fett. Sie biß vom Käse ab. Auf dem Käse waren große durchsichtige Fettropfen. Und das Geselchte war auch zu fett.

Der Schurli aß die Kirschen. Sie hätte auch gern Kirschen gehabt, doch der Schurli aß schnell und gierig, und als sie dann doch in das Plastiksackerl hineingriff, waren nur mehr schlitzige Kerne und Stengel und ein paar verfaulte Kirschen drinnen.

»Waren sowieso alle wurmig«, sagte der Schurli.

»Du hast sie samt den Würmern . . .?«

Der Schurli nickte. »Ich eß auch Würmer ganz ohne Kirschen!« Er griff in den Plastiksack und holte eine braune. weiche Kirsche heraus, öffnete sie, stipste den Kern heraus und betrachtete die fette, weiße Made auf dem roten Fruchtfleisch.

»Die willst du essen?« Sie beugte sich zum Schurli, zur Kirsche. Ihre Stirn lag an der Stirn vom Schurli. Seine Haare kitzelten sie an den Augenlidern.

Sie hatte schon oft darüber nachgedacht, wo bei einer Made vorne und wo bei einer Made hinten war.

»Der Mundi meint . . .« begann sie.

Der Schurli richtete sich auf, warf die Kirsche weg. »Wer ist der Mundi? Ist das der Sohn von der Fetten, die gesagt hat, daß du die Braut von ihrem Sohn bist?«

Sie nickte.

»Was meint der Trottel?«

Sie freute sich, weil der Schurli bös schaute. »Ich bin wirklich nicht seine Braut!«

»Mir doch völlig wurscht!« murmelte der Schurli.

»Wirklich nicht!«

Er zuckte mit den Schultern.

»Er ist der größte Depp, den es gibt, und sitzengeblieben ist er auch schon, und stottern tut er!«

Der Mundi stotterte nicht. Der Mundi hatte früher gestottert, als er noch sehr klein war. Doch sie wollte über den Mundi schimpfen.

Der Mundi ist ein Trottel, sollte heißen: Du bist gescheit! Der Mundi ist häßlich: Du bist schön!

Ich mag den Mundi nicht: Ich mag dich!

Der Schurli begriff es. Er lächelte.

»Ich zieh mich jetzt um.« Sie griff in den Turnbeutel und holte den Badeanzug heraus. Der Badeanzug war ein winziger roter Bikini. Sie hatte die Leinenhose und ein weißes T-Shirt an. Sonst nichts. Sie überlegte, ob sie sich vor dem Schurli umziehen sollte. Sie ging mit dem Bikini hinter die Büsche, dorthin, wo sie die Zigarettenschachteln und die Kippen und das Papier hingeworfen hatte.

Als sie zurückkam, hatte der Schurli ihre Schultasche ausgeräumt und blätterte in einem Heft. Sie wollte ihm das Heft aus der Hand reißen. »Gib her, gib mir's zurück!« Es war ihr Deutsch-Aufsatzheft, und er sollte die roten Vierer und die roten Fünfer nicht sehen.

Der Schurli lachte und hielt das Heft fest. »Gib her«, rief sie wieder. Das Heft bekam einen Riß.

»*Gibt* mit ie«, höhnte der Schurli, »und *Radiergummi* mit stummem h!«

Sie zerrte noch einmal am Heft und hielt ein halbes, zerknittertes Blatt in der Hand. Sie starrte auf das Stück Papier, auf die schiefen blauen Buchstaben und die geraden roten Striche. Sie senkte den Kopf, und die blauen Buchstaben und die roten Striche wurden zu einem verwackelten Muster, weil sie weinte.

»So ein Blödsinn«, murmelte der Schurli, »das wollt ich nicht!« Und dann fragte er: »Was wird sie denn sagen?« Sie zog den Rotz und die Tränen durch die Nase hoch, hob den Kopf, fragte: »Wer?«

»Na, die Lehrerin!«

»Die ist mir scheißegal.« Sie knüllte den Papierfetzen zu einer Kugel und warf ihn in den Hansl-Teich.

»Warum weinst denn dann?« Der Schurli legte eine Hand auf ihre Schulter.

Sie schaute ihn an, und es fiel ihr unheimlich schwer, aber sie sagte es trotzdem: »Weil du jetzt weißt, daß ich blöd bin!«

»Du bist nicht blöd, du kannst nur nicht rechtschreiben.«

»Rechnen auch nicht!« Sie verstand nicht, warum sie es tat, aber sie griff nach dem Rechenheft und blätterte bis zu der Hausübung, wo von dreißig Rechnungen achtundzwanzig falsch waren. »Da schau her.« Sie hielt ihm das Heft hin.

»Ich möcht aber lieber Krötenfangen!« Der Schurli nahm das Heft nicht.

Sie steckte die Hefte in die Tasche zurück und stopfte die Salami und den Käs und das Geselchte darauf. Sie ließ die Schlösser von der Tasche zuschnappen und war sich ganz sicher, daß es im Leben immer so sein sollte, wie es jetzt gerade war, und daß es in ihrem Leben ab jetzt oft so sein würde.

Zuerst holte sie Gläser. Vorne bei der Straße waren Schrebergärten. Hinter den Schrebergärten war ein riesiger Abfallhaufen. Es stank dort ziemlich, und sehr viele fette, grüne Fliegen waren dort, doch sie fand ein riesiges Gurkenglas und zwei Marmeladegläser. In den Gläsern waren Ameisen und Schimmel.

»Geh weg mit dem Dreck!« rief der Schurli, als sie die Gläser zum Ufer brachte.

»Würmer frißt? Und vor Ameisen graust dir?«

»Ich hätt den Wurm doch nicht gegessen, war doch nur Angabe.«

Sie nickte. Sie versenkte die Gläser ins seichte Wasser. Dutzende Ameisenleichen kamen an die Oberfläche.

Die Kröten waren auf der anderen Seite vom Teich. Beim Schilf. Sie hielt das Marmeladeglas genau vor den Kopf der Kröte, die im warmen schlammigen Boden hockte. Der Schurli tupfte der Kröte mit einem Stecken aufs Hinterteil, und die Kröte sprang erschrocken weg, genau ins Marmeladeglas hinein. Dann kippten sie das Marmeladeglas über das Gurkenglas, und die Kröte fiel ins große Gurkenglas. Obwohl sie ein paarmal Pech hatten und die Kröte am Marmeladeglas vorbeisprang und im Schilf verschwand, war das Gurkenglas bald voll Kröten. Man konnte nicht erkennen, wie viele es waren. Der Schurli sagte: »Zehn.« Sie war für elf.

Damit die Kröten nicht aus dem Glas springen konnten, legte sie ihr Taschentuch über die Öffnung und band ihre Roßschwanzschleife herum.

Sie trugen das Glas vorsichtig bis zum Handtuch. Sie legten sich eng nebeneinander auf das Handtuch und schauten auf die braungraue wurlende Masse hinter dem Glas.

»Da ist ein Kopf«, flüsterte sie.

»Da ist ein Haxen«, sagte der Schurli.

Sie sagte, man kann Kröten rauchen lassen. Man muß ihnen eine angerauchte Zigarette ganz tief in den Mund stecken, und dann rauchen sie weiter, pft, pft, bis sie zerplatzen.

»Hast du das schon einmal gemacht?«

Nein, ihr Vater hatte es angeblich als Kind getan.

»Sagt er«, rief der Schurli.

»Meinst, er lügt?«

»Meiner lügt oft«, sagte der Schurli und schüttelte das Krötenglas hin und her.

»Was lügt er denn?«

»Alles. Wieviel er verdient und daß er Überstunden machen muß und so.«

»Warum?«

»Damit er weniger Geld hergeben muß und am Abend mit der Hilda ins Wirtshaus gehen kann.«

Sie versuchte es zu begreifen. Sie stellte sich ihren Vater

vor, wie er log und ins Wirtshaus ging und eine Hilda hatte. Es gelang ihr nicht. Sie sagte: »Meine Mutter würde das nicht erlauben!«

Der Schurli murmelte: »Meiner ist das jetzt wurscht. Der ist es sogar lieber, damit sie auch weggehen kann.«

»Und jetzt?« fragte sie.

Der Schurli wußte es nicht. Ein Riesenkrach war, und die Mutter hatte einen Koffer gepackt und geschrien: »Häng dich auf, mach dir deinen Dreck allein!« Und in der Früh dann war die Mutter weg gewesen und der Vater auch, und die alte Meier hatte ihn mitgenommen.

»Und der kleine Bruder?« fragte sie.

»Die alte Schachtel sagt, wir werden aufgeteilt. Der bleibt bei meinem Vater, und die Hilda zieht dazu.«

Der Schurli stand auf und trug das Krötenglas zum Ufer. Er knüpfte das Roßschwanzband ab, zog das Taschentuch weg und kippte das Glas ins Wasser.

Sie wollte protestieren. Sie hätte die Kröten gern mitgenommen und im Stiegenhaus ausgelassen. Das wäre komisch gewesen!

»Laß ein paar drinnen!« rief sie.

»Zu spät.« Der Schurli zog das leere Glas aus dem Wasser. Es war zwölf vorüber.

»Mir ist fad«, gähnte der Schurli.

Sie zog die Hose und das T-Shirt über den Bikini und stopfte das Handtuch in den Turnbeutel.

»Die Alte hat wahrscheinlich eh schon der Schlag troffen«, sagte der Schurli. »Die sucht mich sicher überall!«

Sie beschlossen, nicht gemeinsam zurückzukommen. Das wäre zu auffällig gewesen. Bei der Endstation stieg der Schurli in die Straßenbahn. Sie winkte und war glücklich, daß der Schurli zurückwinkte.

Sie ging langsam nach Hause. Sie hatte viel Zeit. Bei einem Papierkorb warf sie die Salami, den Käs und das Geselchte weg. Hin und wieder machte ihre Mutter Schultaschenkontrolle.

Vor einer Auslage band sie ihre Haare wieder zu einem Roßschwanz. Ein paar Ecken vor ihrem Haus war ein Park. Sie suchte in der Hosentasche nach einem Schillingstück. Sie steckte den Schilling in den Münzautomaten vom öffentlichen Klo und drückte die Türklinke herunter. Im Klo war es naß auf dem Boden und dreckig an den Wänden. Sie zog das T-Shirt aus, das Bikinioberteil aus, das T-Shirt wieder an. Jetzt war alles in Ordnung. Das Bikinioberteil hatte nämlich zwei dicke Goldschnallen an den Trägern, die waren durch das dünne Leiberl zu erkennen gewesen. Der Mutter wären sie aufgefallen, und die Mutter hätte sie garantiert verhört, wieso sie mit dem Bikini in die Schule ging.

Als sie nach Hause kam, lag ein Zettel auf der Küchenkredenz: *Bin beim Friseur. Wärme dir die Fisolen!*

Sie aß die Fisolen* kalt und aus dem Reindl. Sie aß alles, obwohl es mindestens drei Portionen waren. Dann klingelte das Telefon, und der Mundi wollte wissen, warum sie nicht in der Schule gewesen war.

»Geht dich nichts an«, rief sie und hängte auf.

Gleich darauf klingelte wieder das Telefon, und es war wieder der Mundi. Ob sie zu ihm spielen kommen wolle, oder ob er zu ihr kommen könne?

»Ich hab keine Zeit für dich!« sagte sie und legte wieder auf. Sie ging auf das Klo. Der Schurli mußte schon längst

* Fisolen – grüne Bohnen

zu Hause sein. Sie zog sich am Fensterbrett hoch und hielt
Ausschau. Am Fenster der Meier stand – wie immer – der
Vogelkäfig. Sonst war nichts zu sehen. Der Kanarienvogel

piepste. Sonst war nichts zu hören. Sie pfiff. Ziemlich leise. Der Schurli kam zum Fenster. Sie winkte. Er zeigte mit der Hand zur Wohnungstür. Sie nickte.

Sie ließ sich vom Fensterbrett herunter, riegelte das Klo auf und ließ die Tür angelehnt. Sie setzte sich auf die Muschel. Sie hörte seine Schritte auf der Treppe, dann am Gang. »Ist offen«, flüsterte sie. Über ihr bewegten sich die Luftballons sanft hin und her.

Sie überließ dem Schurli den Muschelsitz und hockte sich auf den Comicstripstapel. Sie leuchtete mit der Taschenlampe an die Decke und erklärte dem Schurli die Köpfe. Der Schurli sah sogar ein Pferd.

Sie legte den Zeigefinger über das Glas von der Taschenlampe, und der Schurli bemerkte sofort, daß der Zeigefinger jetzt wie ein glühendes Holzscheit aus der Auslage vom Ofengeschäft aussah. Es gelang ihm auch, die roten Ecken der gelben Fliesen aus dem Fenster schweben zu lassen. Trotzdem hatte sie Angst, ihm könne es auf dem Klo langweilig werden.

Sie fragte: »Traust dich zum *Russo*?«

»Ich trau mich alles!«

Sie glaubte ihm.

Über dem breiten Tor stand: FRANZ RUSSO, TRANSPORTE.

Das Tor war zugesperrt. Rechts und links vom Tor war eine zwei Meter hohe Ziegelmauer. Oben in die Mauer waren spitze Glasscherben einbetoniert.

»Da solln wir rüber?« fragte der Schurli.

Sie führte ihn ins Haus neben der Mauer, durch einen finsteren Gang, vorbei an Wohnungstüren mit Milchglas scheiben, zu einer Hoftür. Der Hof dahinter war nicht größer als eine Küche. Zwei Koloniakübel voll Mist standen darin.

»Da gibt es auch Ratten«, flüsterte sie.

Sie machte den Deckel von einem Kübel zu und kletterte auf den Kübel. Die Mauer dahinter hatte oben keine Glasscherben.

Der Schurli kletterte auf den anderen Kübel. Er schaute zum *Russo* hinüber. »Toll«, sagte er.

»Das ist ein Abstellplatz für ausrangierte Autos, über fünfzig stehen da!«

Der Schurli stieg über die Mauer und sprang hinunter. Er sprang ungeschickt. Er landete auf den Händen. »Verflucht«, murmelte er und rieb die Hände an der Hose.

Sie sprang geschickt. »Blutest du?«

Er schüttelte den Kopf.

Sie zog seine Hand von der Hose.

Sie spuckte auf die Hand und verrieb die Spucke. Ein roter Kratzer war zu sehen. »Tut's weh?«

Der Schurli sagte »nein, überhaupt nicht«, zog seine Hand aus der ihren und steckte sie in die Hosentasche.

Sie kletterten auf uralte Lastautos und in das Führerhaus vom alten Tanker. Sie fanden einen Volkswagen, der noch ein Lenkrad und einen Schalthebel hatte. Sie zeigte ihm den rostigen Wohnwagen ohne Räder. Er sagte, den könne man leicht einrichten. Mit einem Tisch und Sesseln und Vorhängen und einer Petroleumlampe. Dann sei er noch schöner als ihr Klo.

»Paßt's nur auf, daß euch dann aber der Hawranel nicht erwischt, in eurem Wohnwagen!« rief der Mundi höhnisch.

Der Mundi stand bei der Wohnwagentür.

»Schleich dich«, rief der Schurli.

»Ich hab genausoviel Recht wie jeder andere auch«, schrie der Mundi, und dann, ziemlich leise: »Wer bist denn du überhaupt!« Und als er keine Antwort bekam: »Lotte, wer ist denn der da?«

Sie wußte nicht, was sie antworten sollte.

»Wer bist denn du?« fragte der Schurli.

»Ich bin der Mundi, der Freund von der Lotte!«

Der Schurli lachte.

Sie rief: »Gar nicht wahr, gar nicht wahr, du bist nicht mein Freund, jetzt nimmer!«

»Schleich dich, hab ich gesagt.« Der Schurli stieg aus dem Wohnwagen und stand dicht vor dem Mundi. Er war ein Stück größer als der Mundi, aber viel dünner. Sie wußte, daß der Mundi sehr stark war, wenn er eine Wut hatte, und jetzt hatte er eine Wut. Sie merkte das an seinen roten Ohren. Wenn der Mundi eine Wut mit roten Ohren hatte, dann schlug er die größten Buben grün und blau, sogar blutig.

»Spielen wir was zu dritt«, sagte sie.

»Ich? Mit dem Sitzenbleiber, mit dem Grünzeugtandler, dem stotternden?« Der Schurli lachte dem Mundi ins Gesicht.

Sie schob sich zwischen den Mundi und den Schurli. Der Mundi wollte sie wegschieben.

»Sitzenbleiber, Grünzeugtandler, Stotterer«, höhnte der Schurli hinter ihr.

Sie merkte erstaunt, daß der Mundi auch auf sie wütend war. Er spuckte nach ihr. »Renn weg«, flüsterte sie dem Schurli zu. Der Schurli rannte zwischen dem alten Laster und dem VW durch. Sie konnte ihn nicht mehr sehen, aber sie hörte ihn: »Sitzenbleiber, Grünzeugtandler, Sitzenbleiber!«

»Den bring ich um«, brüllte der Mundi und wollte hinter ihm her. Sie stellte ihm ein Bein. Der Mundi fiel hin. Sie sah, wie er mit dem Kinn auf die rostige Stoßstange vom VW fiel, sich wieder hochrappelte und hinter dem Laster

verschwand.

Sie war ratlos. Sie kletterte auf den Laster, zuerst auf die Ladefläche, dann auf das Dach vom Führerhaus. Sie sah den Mundi hinter dem Tanker vorkriechen. Ein paar Schritte vor ihm, an eine Blechtonne gelehnt, stand der Schurli und schaute in die falsche Richtung.

»Schurli, gib acht«, rief sie. Der Schurli drehte sich um, sah den Mundi und stürzte sich über ihn. Der Mundi und der Schurli waren jetzt ein großer Klumpen, der zwischen den Autowracks herumkugelte. Der Klumpen wurde immer dreckiger und erinnerte sie an den Krötenhaufen im Gurkenglas. Sie wagte vor Entsetzen kaum zu atmen, wenn sie das unter Stück vom Klumpen für den Schurli hielt. Sie atmete tief auf, wenn sie erkannte, daß das rote Hemd vom Schurli oben war.

Der Klumpen rollte weiter und kam gefährlich nahe an den Blechberg heran. Der Blechberg war ein Riesenhaufen aus Blechabfällen. Meterhoch lagen dort dünne, rostige Blechstreifen mit ausgestanzten Löchern. Die Kanten der Streifen waren so scharf wie Messerklingen. Sie wußte das. Der Mundi wußte es auch. Der Schurli konnte es nicht wissen.

»Aufhören, aufhören!« brüllte sie.

»Wer verdammt noch einmal treibt sich denn da schon wieder herum!« Das war die Stimme vom alten Hawranel, vom Platzaufseher.

Der Mundi ließ den Schurli los, und der Schurli den Mundi. Sie sprangen auf. Der Schurli lief in ihre Richtung, der Mundi rannte nach der anderen Seite. Der Schurli kroch unter den Tanker. Den Mundi sah sie hinter dem gelben Auto mit der Aufschrift *Natureiszustellung* verschwinden.

Sie kletterte vom Lastwagendach und kroch vorsichtig bis zum Tanker. »Hier bin ich«, flüsterte der Schurli. Sie kroch zu ihm, hinter das große, doppelte Rad. Er blutete aus der Nase.

Sie drückte sich an ihn. Er hielt sie fest.

Dreimal kamen die alten Plattfüße vom Hawranel am großen Rad vorbei. Der Hawranel murmelte: »Wenn ich sie einmal erwisch, dann können's was erleben!« Und: »Sind schon wieder verduft!« Und: »Ist eh nicht mein Hirn, das sich die Biester noch einmal einhaun werden!«

Sie warteten, bis der alte Hawranel endlich ganz weg war, dann schlichen sie zur Mauer. Sie rollte ein kaputtes Rad an die Mauer. Ohne zuerst auf das Rad zu steigen, konnte man nicht hinüber.

Im Hof hinter der Mauer, vor den Koloniakübeln, stand die Hausmeisterin und zupfte Staubwolken aus dem Besen.

»Lotte«, sagte die Hausmeisterin, »du wirst dir auch noch einmal den Hals brechen und am Hawranel seinem Tod die Schuld haben!«

»Werden Sie dann weinen?« fragte sie.

»Über den Hawranel schon!« Die Hausmeisterin beendete die Staubwolkenzupferei und latschte ins Haus.

»Das ist die einzige vernünftige Hausmeisterin im ganzen Bezirk«, erklärte sie dem Schurli, als sie wieder auf der Straße standen.

Sie wollte mit ihm auf das Klo gehen, sie wollte ihm das Blut von der Lippe wischen und den Dreck aus der Hose klopfen, und sie wollte ihm sagen, wie herrlich er sich gewehrt hatte.

Beim Haustor stand die alte Meier, packte den Schurli am

Arm und keifte: »Kaum schlaft man ein, ist er weg, die Rotzpiepen, die!«

Der Schurli ließ sich von der Meier zum Stiegenhaus ziehen. Die Meier keifte weiter: »Und deiner Mutter sag ich es auch noch, der sag ich es auch noch!«

Sie ging hinter der Meier und dem Schurli her und überlegte, ob die alte Meier von ihrer Mutter oder von der Mutter vom Schurli redete. Die alte Meier hatte sicher ihre Mutter gemeint. Es war jetzt richtig, überlegte sie weiter, in die Wohnung zu gehen und brav Nachtmahl zu essen und die neue Frisur der Mutter zu loben. Vielleicht sogar Geschirr zu trocknen. Dann konnte die Meier bei ihrer Mutter nicht allzuviel ausrichten.

Es war schon halb neun vorbei. Ihre Eltern hockten auf der Sitzbank (die ihr Bett war) und schauten eine Dame an, die an der Schulter eines Herrn schluchzte. Sie konnte solche Fernsehfilme nicht leiden. Sie gähnte.

»Müde?« fragte die Mutter und glotzte weiter auf die Dame und weinte fast auch.

Da klingelte das Telefon. So spät rief selten jemand an. Sie lief in die Küche.

»Wenn's das Gaswerk ist, sag, ich bin im Kino«, rief der Vater hinter ihr her. Es war niemand vom Gaswerk. Es war die Frau Wolf. Der Mundi war noch nicht zu Hause. Ob der Mundi bei ihr sei, ob sie ihn gesehen habe, ob sie eine Ahnung habe, wo er sein könnte?

»Ja, gesehen habe ich ihn schon ... aber das ist schon lang her, beim *Russo* ... ja, hinter einem Auto ... hinter dem mit der Aufschrift *Natureiszustellung* ...«

Die Mutter trennte sich von der schluchzenden Fernsehfrau, nahm ihr den Hörer weg und tat besorgt, sagte ein paarmal »Um Gottes willen« und ein paarmal »Unkraut verdirbt nicht« und dann: »Gut, ich komme! Den finden wir schon!«

Sie wurde unruhig. Sie hatte keine Ahnung, was mit dem Mundi geschehen war, aber sie ahnte, daß man sie dafür verantwortlich machen würde. Sie wollte nicht zu Hause sitzen und warten, bis die Mutter zurückkam und ihr eine Ohrfeige gab. »Kann ich mitgehen?« fragte sie.

Die Mutter nickte. Die Mutter sagte, die Frau Wolf warte vor der Haustür auf sie.

Wenn man erwachsen ist und das beste Gemüsegeschäft in der Gegend hat, dachte sie, dann ist das einfach. Dann muß man nicht durch einen Hinterhof, über Koloniakübel und eine Mauer. Dann gibt einem der alte Russo den Schlüssel für das kleine Türl im großen Tor, und eine Taschenlampe borgt er einem auch noch!

Die Wolf sperrte das eiserne Türl auf.

»Glauben's denn wirklich, daß er noch da ist?« fragte ihre Mutter.

»Mundi-Mundi!« brüllte die Wolf und leuchtete mit der Taschenlampe über die Autowracks. In der Dunkelheit, nur von dem schmalen Taschenlampenstrahl beleuchtet, sah der Platz zum Grausen aus.

»Da spielst mir nimmer, hörst«, sagte ihre Mutter.

»Pscht, ich glaub, ich hab ihn gehört«, sagte die Wolf leise, und dann brüllte sie wieder los: »Mundi-Mundi-Mundi!«

Sie stand ganz still und hielt den Atem an. Sie hörte Autos auf der Straße fahren und irgendwo die Frauenstimme aus dem Fernsehapparat.

»Jetzt hör ich auch was«, flüsterte ihre Mutter. Ihre Mutter hörte immer etwas, wenn es ein anderer hörte.

Doch als dann kein Auto auf der Straße fuhr und die Fernsehfrau leiser sprach, hörte sie es auch. »Mama, Mama«, hörte sie. Es klang merkwürdig weit weg.

Sie stellte sich vor, daß der Mundi schwerverletzt unter einem Laster lag, halbtot unter dem Tanker, aus Mund und Nase blutend hinter das Lenkrad vom VW geklemmt, mit gelähmten Beinen wimmernd vor dem Wohnwagen hockte. Der Schurli mußte ihn so zusammengeschlagen haben.

Sie fanden ihn ganz hinten, auf dem Abstellplatz. Im Spritzwagen. Der Spritzwagen war uralt. Früher war der Spritzwagen im Sommer durch die staubigen Straßen gefahren und hatte aus einer großen Brause Wasser auf die Straßen gespritzt. Das Spritzwasser war im hölzernen Tank auf der Ladefläche vom Wagen gewesen. Oben im Tank war ein großes Loch zum Wassernachfüllen.

Der Mundi hockte im Tank drinnen und brüllte: »Mama, Mama!« Er war aus Angst vor dem alten Hawranel in den Tank gekrochen und hatte sich dabei die Hand verstaucht. Mit der verstauchten Hand konnte er sich nicht gut hochziehen. Er hatte stundenlang versucht, aus dem Tank herauszukommen, dann hatte er es aufgegeben, sich hingesetzt und geheult.

Ihre Mutter und die Wolf zogen den Mundi aus dem Tank heraus.

Sie hielt die Taschenlampe.

Der Mundi war kohlrabenschwarz und stank entsetzlich. Er stank so, daß ihrer Mutter schlecht wurde.

»Was stinkt denn da drin?« stöhnte die Wolf.

Den Tank benutzten viele Buben als Klo. Sie kletterten auf

den Holztank hinauf und machten in das große Loch hinein. Der Mundi war zu erschöpft, um das zu erklären. Sie fand, es war nicht notwendig, das zu erklären.

»Wie kommst denn da rein?« klagte die Wolf, »ja, wie kommst denn da rein?«

Der Mundi schluchzte und stotterte sogar wieder, doch sie paßte genau auf und stellte befriedigt fest, daß in dem Geschluchze und Gestottere weder ihr Name noch der vom Schurli vorkam. Dann fiel ihr ein, daß er den Namen vom Schurli ja gar nicht kannte.

Ihre Mutter war argwöhnisch. »Mundi, du warst doch mit der Lotte da! Hat dich die Lotte . . .«

Sie unterbrach die Mutter, schrie: »Ich war's nicht, ich war's wirklich nicht!«

»Aber gehn's, Frau Prihoda, so was tut doch die Lotte nicht!« sagte die Wolf.

»Ein Bub war's, ein fremder Bub!«

»Hast den schon einmal gesehen?« erkundigte sich die Frau Wolf.

»Ja, in der Lotte ihrem Haus!«

Sie bekam eine ungeheure Wut. Am liebsten hätte sie dem Mundi mitten ins schwarzverschmierte Gesicht geschlagen, doch sie mußte sich beherrschen. »In unserem Haus gibt's keinen Buben«, sagte sie, und du bist ins Tankloch gekrochen, weil der Hawranel hinter dir her war, oder?«

»Ist ja ganz wurscht, wie's war«, sagte die Wolf, und sie fand, daß das ein gescheiter Satz war. Später dann, wenn der Mundi zu Hause war, sollte er seiner Mutter erzählen, was er nur wollte. Bloß jetzt, solange ihre Mutter dabei war, sollte er gefälligst den Mund halten.

»Na, dann gehn wir.« Ihre Mutter schüttelte sich. »Da

ist es mir nämlich unheimlich. Ob es da auch Mäuse gibt?«

»Tausend Ratten«, sagte sie, »solche Biester!«

Sie zeigte mit den Händen Rattenbiester in Dackellänge. Ihre Mutter riß ihr die Taschenlampe aus der Hand, leuchtete auf den Boden und quietschte: »Da ist eine!«

»Werden's doch nicht hysterisch«, sagte die Wolf, »das ist ein alter Fetzen.«

Ihre Mutter sah ein, daß es ein alter Fetzen war. Trotzdem wollte die Mutter weg. »Na«, sagte die Mutter, »jetzt haben wir ihn ja wieder, alsdann, Lotte, alsdann Frau Wolf, gehn wir!«

»Danke fürs Suchenhelfen«, murmelte die Wolf.

Sie wurde von ihrer Mutter weggezogen, sie drehte sich um, stolperte über den Fetzen, über Eisenteile und Draht, wurde weitergezogen und meinte zu sehen, daß die dicke Wolf den Mundi hochhob und wie ein Wickelkind in den Armen wiegte.

Der Vater schaltete das Fernsehen ab, als sie nach Hause kamen. Er lachte wieder einmal Tränen. »Im Spritzwagen, im Spritzwagen!« Er konnte nicht zu lachen aufhören.

»Du bist roh!« sagte die Mutter.

»Alle zwanzig Jahr einmal«, kicherte der Vater, »sitzt einer im alten Spritzwagen und kann nicht heraus. Und der, der im Spritzwagen sitzt, der ist der Blödeste aus der Gegend!«

Sie dachte: Er freut sich so, weil er nie in den Spritzwagen gefallen ist. Er ist noch immer stolz, weil er nicht der Blödeste von allen war, vor zwanzig Jahren.

Am nächsten Morgen war sie schon um halb sieben auf dem Klo. Sie sah, daß die Luftballons verschrumpelt waren und merkte, daß der kleine Teddy ein häßlich-böses Gesicht hatte.

Sie dachte, der Schurli schläft sicher noch. Sie schaute zum Meierfenster hinauf und rechnete damit, den Vogelkäfig, mit dem Seidentuch darüber, zu sehen. Sie sah eine Frau. Die Frau schaute dem Schurli nicht ähnlich, aber sie sah aus wie der Schurli. Und die Frau schaute wie der Schurli, hatte eine Falte über der Stirn, wie der Schurli. Und jetzt griff die Frau an das Kinn und rieb mit dem Zeigefinger darüber, so wie der Schurli sein Kinn rieb.

Sie schloß die Augen.

Die Frau, oben beim Fenster, sagte leise – und weil es im Haus ganz still war, hörte sie die leise Stimme der Frau: »Bist jetzt endlich fertig?«

Sie begriff, was das bedeutete. Sie hatte es schon begriffen, als sie die Falte über der Nase von der Frau gesehen hatte. Sie ging langsam aus dem Klo zur Stiege. Sie lehnte sich ans Geländer, griff nach dem hölzernen Knopf, hielt sich am Knopf fest und wartete.

Vielleicht bringt sie nur eine von den vier Badehosen oder eines von den sieben Taschenmessern, vielleicht kommt sie gleich ganz allein über die Treppe herunter, hoffte sie. Sie kamen nebeneinander über die Treppe herunter. Die Frau trug einen kleinen Koffer. Der Schurli hatte den Blazer an. Der Schurli schaute auf die Stufen, als ob er Angst hätte, hinunterzufallen.

Ihr Nachthemd war zerknittert. Vorne am Nachthemd fehlten drei Knöpfe. Ihre Haare standen struppig nach allen Seiten weg. Der Schurli kam auf sie zu. Jetzt schaute

er sie an, aber er sagte nichts.

Er muß doch stehenbleiben und etwas sagen, dachte sie.

Er muß sich doch umdrehen und etwas sagen, dachte sie.

»Schurli«, rief sie und lief hinter ihm her.

Die Frau drehte sich um.

»Wo wohnst du denn, Schurli?« fragte sie.

»Wir wohnen in Favoriten«, antwortete die Frau.

»Wo denn?« Sie fragte sehr leise.

»Wie bitte?« Die Frau hatte sie nicht verstanden.

»Auf der Favoritenstraße«, sagte der Schurli und lief aus dem Haus. Die Frau nickte ihr zu und ging hinter dem Schurli her.

»Du meine Güte«, sagte ihre Mutter beim Mittagessen, »die Favoritenstraße ist sehr lang, sehr, sehr lang.«

»Wie lang?«

»Vom Gürtel bis zum Laaerbergbad!«

»Kann man da jemanden finden?«

Die Mutter hatte ihren heiteren Tag. »Wenn der drei Meter groß ist und in der Mitte von der Straße auf den Schienen geht, dann schon!« Die Mutter lachte über ihren Witz.

»Wenn einer dort wohnt?«

»Wo?« Die Mutter glotzte erstaunt, und der goldene Eckzahn blitzte.

»Auf der Favoritenstraße!«

»Wenn du die Hausnummer weißt, dann schon, aber auch nur, wenn's kein Gemeindebau mit siebenundneunzig Stiegen ist, weil dann suchst dich deppert!«

Sie rührte im Erdäpfelpüree. »Und wenn man lang sucht, wenn man jeden Tag sucht, wenn man immer sucht?«

»Wenn man was, immer, lang sucht?«

»Niemanden, gar nix!« Sie rührte weiter im Püree.

Sie ging nicht vorne, beim Geschäft, hinein, sie ging durch das Haustor, über den Gang zur Tür vom Hinterzimmer. Die Tür vom Hinterzimmer war selten versperrt. Sie blieb vor der Tür stehen. Ein paar Sekunden lang, die ihr wie ewig vorkamen. Dann machte sie, ohne anzuklopfen, die Tür auf.

Der Mundi saß beim großen Tisch. Die verstauchte Hand war in eine elastische Binde gewickelt. Mit der gesunden Hand bohrte er in der Nase. Er hörte zu bohren auf, als er sie sah, doch den Finger ließ er in der Nase drinnen.

»Schau nicht so blöd«, sagte sie.

Der Mundi nahm den Finger aus der Nase. »Ich habe euch beobachtet. Er war sogar mit dir im Klo!«

Sie setzte sich aufs Fensterbrett und starrte auf die drei ovalen Holzscheiben, auf den *Gruß aus Mariazell* und den Einer-spinnt-immer- und den Spatzen-Tauben-Spruch.

»Ich will auch aufs Klo!«

»Dann geh doch, bevor du dich anmachst«, sagte sie.

»Auf dein Klo!«

Du lausiger, verdammter, schäbiger Erpresser, dachte sie, wenn du wüßtest! Wenn du wüßtest, wie wurscht mir das Klo ist, dann würdest du noch blöder schauen.

Das Klo hatte eine blaue Tür mit weißen Streifen in den Türfüllungen und war zu nichts gut. Die Klotür hatte ein großes Schlüsselloch, zu dem ein riesiger schwarzeiserner Schlüssel paßte, und den Schlüssel hätte sie genausogut wegwerfen können, wie sie ihn in der Hosentasche trug. An der Decke waren Gesichter zu sehen. Ein alter Mann oder ein Schaf oder ein Hund oder ein Pferd. Sie brauchte keinen alten Mann und keinen Hund und kein Schaf und kein Pferd. Sie brauchte auch das Meierfenster nicht und

die Schritte nicht, die an der Klotür vorbeikamen. Die roten Ecken der gelben Fliesen konnte man durch die Luft schweben lassen, zum Fenster hinausfliegen lassen. Aber selber blieb man sitzen, selber schwebte man nicht, selber flog man nicht zum Fenster hinaus.

Sie griff in den Hosensack, packte den großen schwarzeisenen Schlüssel und warf ihn auf den Tisch. »Da hast«, sagte sie.

»Wieso gibst mir den Schlüssel?«

»Du willst doch auf mein Klo! Na, so renn schon, geh auf mein Klo! Beeil dich, renn!«

»Ich will doch mit dir zusammen aufs Klo.« Der Mundi hatte Tränen in den Augen.

Sie verschränkte die Hände vor der Brust, schaute auf die weiß-blau-grau gemalten Tauben, die um den Spatzen-Tauben-Spruch flatterten, baumelte mit den Beinen und sagte: »Mit mir nicht, Mundi, mit mir nicht.«

»Ich mag dich nicht mehr.« Der Mundi schluchzte. Seine Unterlippe zitterte, Tränen rannen über seine Wangen.

Sie stieg vom Fensterbrett und ging langsam auf die Tür zu. Als sie schon die Türklinke in der Hand hatte, drehte sie sich um. »Ich hab dich nie mögen, nie-nie-nie!«

Sie war nicht wütend, nicht zornig, nicht aufgeregt. Sie war neugierig. Manchmal spielte sie ein Spiel mit sich selber. Das Spiel hieß: Wenn ich mit zehn Schritten beim Haustor bin, dann –, wenn ich mit sieben Schritten beim Papierkorb bin, dann –, wenn ich mit drei Schritten beim Klo bin, dann . . .

Über das »dann« hatte sie nie nachgedacht, doch es bedeutete irgend etwas Angenehmes, etwas Schönes, etwas Gutes.

Jetzt spielte sie das Spiel auch. Wenn mir der Mundi nachläuft, bevor ich die Tür hinter mir zugemacht habe, dann…
Der Mundi war bei ihr, bevor sie die Tür noch aufgemacht hatte. »Da, dein Schlüssel«, schluchzte er, »nimm ihn doch!«
Sie steckte den Schlüssel in die Hosentasche.
An der Wand, im Gang draußen, lehnte dem Mundi sein neues Fahrrad. Es war erst eine Woche alt und das schönste Fahrrad, das sie je gesehen hatte.
»Willst fahren?« fragte der Mundi.
Sie schob das Fahrrad den Gang entlang. Der Mundi hielt ihr die Haustür auf. Sie setzte sich auf das Fahrrad und fuhr los. Sie fuhr um den Häuserblock herum, immer wieder um den Häuserblock herum. Und sooft sie beim Haustor vom Mundi vorbeikam, rief der Mundi: »Lotte-Lotte.«
Sie winkte ihm dann, trat in die Pedale, so fest sie konnte, und dachte: Das wird er mir büßen, das wird er mir büßen! Was der Mundi büßen würde und warum er büßen würde, war ihr nicht klar, aber sie spürte ganz genau: Wenn ich darüber nachdenke, dann fange ich zu weinen an. Und weinen wollte sie nicht.

Christine Nöstlinger

Die bekannte Geschichte des Pinocchio – neu erzählt von Christine Nöstlinger. Mit über 100 farbigen Bildern von Nikolaus Heidelbach.
216 Seiten, Pappband, **ab 6**
ISBN 3-407-80193-9

Eine Kindheit in Kriegs- und Nachkriegszeit. Zwei Romane in einem Band. Mit einem Nachwort der Autorin.
416 Seiten, Pappband, **ab 12**
ISBN 3-407-79506-8

Ein Tagebuch höchster Wahrheiten. Die 14jährige Julia hat sie notiert und dabei nichts ausgelassen. Weder den Zirkus mit den Eltern, noch den Schulmief …
200 Seiten, Pappband, **ab 12**
ISBN 3-407-80165-3

Dieser Märchenroman, ausgestattet mit reizvollen Farbtafeln von F. K. Waechter, erzählt von einem Prinzen in Not und seiner gefahrvollen Reise.
120 Seiten, Pappband, **ab 8**
ISBN 3-407-80043-6

Der phantastische Roman von Hugo, einem Kind, das nie erwachsen werden will und gefährliche Reisen in seinem Papierluftschiff unternimmt.
320 Seiten, Pappband, **ab 12**
ISBN 3-407-79505-X

Kinderroman von der Familie Hogelmann und ihrem Kampf mit dem autoritären Kellerkönig Kumi-Ori. Mit Bildern von Jutta Bauer.
184 Seiten, Pappband, **ab 8**
ISBN 3-407-80066-5